Michel Marie

LA NOUVELLE VAGUE

Une école artistique

3e édition

ARMAND COLIN

Pour Alix, qui a eu vingt ans en 2009.

Dans la même collection

Gabriel BAURET, *Approches de la photographie.*
Pierre BERTHOMIEU, *Le Cinéma hollywoodien. Le temps du renouveau.*
Laurent CRETON, *L'Économie du cinéma en 50 questions* (2ᵉ édition).
Hélène DUCCINI, *La Télévision et ses mises en scène.*
Bernard EISENSCHITZ, *Le Cinéma allemand* (2ᵉ édition).
Anne GOLIOT-LÉTÉ, Francis VANOYE, *Précis d'analyse filmique* (2ᵉ édition).
Jean-Pierre JEANCOLAS, *Histoire du cinéma français* (2ᵉ édition).
Martine JOLY, *Introduction à l'analyse de l'image* (2ᵉ édition).
François JOST, *Comprendre la télévision* (2ᵉ édition).
Marie-Thérèse JOURNOT, *Le Vocabulaire du cinéma* (2ᵉ édition).
Jean-Louis LEUTRAT, *Le Cinéma en perspective.*
Jean-Louis LEUTRAT, *Hiroshima mon amour* (2ᵉ édition).
Jacqueline NACACHE, *Le Film hollywoodien classique.*
Dominique PARENT-ALTIER, *Approche du scénario.*
René PRÉDAL, *La Critique de cinéma.*
Laurence SCHIFANO, *Le Cinéma italien de 1945 à nos jours* (2ᵉ édition).
Jean-Claude SEGUIN, *Le Cinéma espagnol.*
Max TESSIER, *Le Cinéma japonais* (2ᵉ édition).

Michel Marie, professeur à l'Université de Paris 3 Sorbonne Nouvelle, est historien du cinéma et spécialiste de la période du cinéma français des années 1960.

© Armand Colin, 2009, pour la présente édition.
© Nathan, 1997, pour la première édition.
ISBN : 978-2-200-24465-1

Sommaire

Introduction 7

1. Un slogan journalistique, une nouvelle génération 9

1. Une campagne de *L'Express* 9
2. Du côté des revues de critique de cinéma 11
3. Le colloque de La Napoule 12
4. Date de naissance : février-mars 1959 14
5. Une « jeune académie » plutôt morose 18
6. Le cinéma français en 1958 : état des lieux 20

2. Un concept critique 25

1. Une école critique 25
   La Nouvelle Vague est-elle une école ? 27
   Que nous présente cette liste ? 29
2. Le manifeste d'Alexandre Astruc 29
3. Le pamphlet de François Truffaut 31
4. Les théories de l'adaptation 34
   4.1 Un exemple : *Le Diable au corps*, transposé par
   Aurenche, Bost et Autant-Lara 34
   4.2 Une autre pratique de l'adaptation par Alexandre
   Astruc : *Une vie*, de Maupassant 36
5. Les « unes » de la revue *Arts* 37
6. La politique des auteurs 38
7. Le modèle américain 41
8. La Nouvelle Vague, une « école artistique » 43

3. Un mode de production et de diffusion 45

1. Un concept économique : le film à petit budget,
mythe ou réalité ? 45

2. Deux petits budgets « hors système » 45

3. Une bonne santé économique 48

4. Un cinéma subventionné 49

5. La dénonciation des superproductions 51

6. Des films autoproduits 52

7. Trois producteurs 56

8. La carrière publique des films des anciens
et des nouveaux 60

4. Une pratique technique, une esthétique 64

1. L'Esthétique de la Nouvelle Vague 64

2. L'auteur réalisateur 66

3. Le scénario-dispositif 70

4. Les techniques d'adaptation, le rapport à l'écriture 72

5. La sortie des studios et la redécouverte des lieux 74

6. Les techniques d'enregistrement 77

7. Le montage 82

8. Le son synchrone 83

5. Des thèmes et des corps nouveaux : personnages et acteurs   86

1. Marivaudage et « saganisme » : d'Astruc à Kast et Doniol-
Valcroze 86

2. L'univers des auteurs 90
   2.1 Les étudiants et les vendeuses de Claude Chabrol 90
   2.2 L'enfance de Truffaut 91
   2.3 Les visages de Jean-Luc Godard 92

3. Une nouvelle génération d'acteurs 94
   3.1 Le trio fondateur 96
   3.2 Un voyou devenu prêtre 97

3.3 Antoine Doinel et sa descendance 99

3.4 Acteurs amateurs, corps anonymes............................ 100

4. Les figures féminines de la Nouvelle Vague.................. 101

4.1 Bernadette Lafont... 101

4.2 Karina et Godard, les «Sternberg-Dietrich»
de la Nouvelle Vague 101

4.3 Jeanne et ses sœurs.. 103

6. L'influence internationale, l'héritage aujourd'hui 105

1. Les mouvements précurseurs 106

2. L'influence de la Nouvelle Vague à l'étranger............... 109

3. Nouvelle Vague, avant-garde et cinéma expérimental. 112

4. Les conséquences historiques du mouvement, la Nouvelle
Vague aujourd'hui.. 113

5. La pérennité des films 115

6. Vers le cinquantenaire 116

Bibliographie.. 118

Index des films cités... 123

Introduction

Encore la Nouvelle Vague !

La Nouvelle Vague est peut-être l'un des mouvements cinématographiques les plus célèbres de l'histoire du cinéma. On ne cesse de s'y référer de manière nostalgique ou polémique. Dès *Zazie dans le métro* en 1959, l'oncle de Zazie, Gabriel, s'écriait ironiquement au milieu des embouteillages de Paris : « C'est la Nouvelle Vague ! » Mais qu'est-ce, au juste, que la Nouvelle Vague ?

Par-delà le mythe de l'« équipe de copains », ceux de la bande des *Cahiers du cinéma* menée par François Truffaut, le jeune critique virulent qui incendiait dans les colonnes d'*Arts* tout ce que le cinéma français produisait de respectable et de prestigieux, la Nouvelle Vague a-t-elle eu une cohérence esthétique ? Est-ce simplement un phénomène de renouvellement de générations comme il s'en produit régulièrement tous les vingt ans ? A-t-elle eu des effets néfastes en glorifiant l'amateurisme technique et le culte de l'improvisation au détriment de la solidité du scénario, fondement de la qualité d'un film aux yeux de certains cinéastes et critiques ? A-t-elle fait fuir les spectateurs des salles ? Ses films n'apparaissent-ils pas au moment où la courbe de fréquentation va débuter une chute vertigineuse jusqu'à réduire de moitié le public de cinéma ? Enfin, pourquoi ce mythe survit-il si longtemps après la période des années 1960 ? Pourquoi Godard a-t-il donné comme titre au film qu'il a réalisé avec Alain Delon en 1990, trente ans après *À bout de souffle*, cette célèbre expression ?

Presque tous les ans, à l'occasion d'un festival ou du bilan de la production de l'année, les chroniqueurs se demandent s'il est apparu une nouvelle « Nouvelle Vague ». Dès que deux jeunes cinéastes présentent un lien de connivence, on y voit le noyau d'un groupe qui va engendrer un mouvement de renouvellement thématique ou esthétique sur le modèle figé de cette mythique et vieille Nouvelle Vague. Le mouvement des vagues se répète inlassablement au rythme des marées, mais la vague de 1959 reste unique dans l'histoire du cinéma français. C'est ce que ce livre va s'efforcer de démontrer en apportant quelques éléments de réponses aux questions posées ci-dessus.

Notre hypothèse sera la suivante : la Nouvelle Vague française est un mouvement cohérent, limité dans le temps, dont les conditions d'émergence ont été favorisées par une série de facteurs simultanés intervenant à la fin des années 1950, plus précisément en 1958-1959. Nous décrirons ces facteurs dans nos trois premiers chapitres. Nous avons eu le projet de proposer une définition assez stricte de la notion valise d'**école** en histoire du cinéma. La Nouvelle Vague est d'abord un slogan journalistique accolé à un mouvement critique, celui des « hitchcocko-hawksiens », comme les nommait assez ironiquement le critique-théoricien André Bazin, fondateur des *Cahiers du cinéma*. Nous avons privilégié l'analyse du cadre économique et technique de l'apparition de ces nouveaux films, en accordant une moindre place aux facteurs thématiques et stylistiques. C'est une manière de rendre compte des orientations actuelles de l'histoire du cinéma qui entend donner une place prépondérante aux aspects économiques et techniques afin de mieux ancrer les phénomènes esthétiques dans leurs conditions d'apparition : la production et la distribution des films, leurs carrières commerciales.

Ce livre ne comprend toutefois pas d'analyse détaillée de films particuliers. Il s'efforce de présenter une synthèse globale d'un mouvement avec ses points forts et ses faiblesses. Bien entendu, sa lecture doit être complétée et enrichie par la vision et la re-vision des films sur lesquels nous nous appuyons, de même que par la lecture des études critiques de films particuliers. Pour un élargissement du cadre historique, on peut utilement se référer au *Cinquante Ans de cinéma français*, de René Prédal[1], dont la nature encyclopédique sera très utile au jeune cinéphile d'aujourd'hui ou aux synthèses proposées par Jacques Siclier, *Le Cinéma français* (I. *De La Bataille du Rail à La Chinoise, 1945-1968*, II. *De Baisers volés à Cyrano de Bergerac, 1968-1990*)[2] et Jean-Michel Frodon, *L'Âge moderne du cinéma français, de la Nouvelle Vague à nos jours*[3]. Deux de ces livres couvrent la même période qui va de la Libération aux années 1990, le troisième commence en 1959.

---

1. Nathan université, coll. « Réf », 1996.
2. Éd. Ramsay Cinéma, 1990 et 1991.
3. Éd. Flammarion, 1995.

Un slogan journalistique, une nouvelle génération

1. Une campagne de *L'Express*

L'expression « Nouvelle Vague », qui renvoie aujourd'hui pour tout un chacun à un moment de l'histoire du cinéma français et à un certain nombre de titres de films, comme *Les Quatre Cents Coups* ou *À bout de souffle*, n'est pas spécialement liée à l'origine au cinéma. Elle apparaît dans une enquête sociologique sur les phénomènes de générations, enquête qui a été lancée et popularisée par une série d'articles de Françoise Giroud publiée dans l'hebdomadaire *L'Express* en 1957. Ce détail est important. Il signale le rôle du thème de la génération nouvelle donc celui de la **jeunesse**, mais aussi celui que joue, dans ces années-là, un nouveau type de presse, représenté par cet hebdomadaire apparu en 1953. Nous sommes au début de la généralisation des pratiques d'enquêtes et d'une certaine mode des études à caractère sociologique.

En août 1957, *L'Express*, type même du nouvel hebdomadaire à l'américaine, sans doute pour mieux atteindre son lectorat potentiel, lance donc une enquête, avec la collaboration de l'IFOP, auprès des 8 millions de Français et de Françaises de 18 à 30 ans qui, dans dix ans, « auront pris la France en main, les plus âgés aux commandes, les plus jeunes les y portant ». Le thème de la **relève de générations**, crucial à propos du cinéma, comme nous le verrons, préexiste très fortement dans le paysage idéologique de la fin des années 1950. La France va changer de régime, de visage, elle doit donc aussi changer de cinéma. Les résultats de l'enquête paraissent dans les numéros du 3 octobre au 12 décembre 1957 avec un slogan « La Nouvelle Vague arrive ! », représenté sur un visage souriant de jeune fille. Ils seront repris en volume, à nouveau présentés par Françoise Giroud et publiés chez Gallimard en 1958 sous le titre *La Nouvelle Vague : portraits de la jeunesse*. Dans ces portraits, les enquêteurs abordent tous les sujets : pratiques vestimentaires, morales, valeurs, mode de vie, pratiques culturelles dont, très secondairement, le cinéma. Les films qui relèvent des valeurs de cette

« nouvelle génération » sont ceux qui témoignent de mœurs nouvelles, « montrées avec une franchise inédite et rafraîchissante ».

Il n'est pas difficile d'imaginer que le film étendard de cette attitude est le premier long métrage de Roger Vadim, *Et Dieu créa la femme,* sorti à Paris le **28 novembre 1956**. Son actrice principale, qui n'a alors que 22 ans, symbolise la jeune Française enfin « libre et émancipée ». Le réalisateur, jeune journaliste *à Paris-Match,* assistant et scénariste de films assez traditionnels comme ceux de Marc Allégret (*Futures Vedettes,* 1955) et de Michel Boisrond (*Cette Sacrée Gamine,* 1955), savait ce qu'il faisait en optant pour un tel titre : « Et le cinéma vadimien créa une nouvelle image de la jeune femme française », beaucoup plus exportable que celle de Martine Carol, Michèle Morgan ou Françoise Arnoul, modèles féminins du cinéma des années 1950. Nous reviendrons plus loin sur l'image de cette jeune Française, proposée par le film de Roger Vadim. Il nous importe d'abord ici d'en souligner le rôle de révélateur d'un phénomène social. De très nombreuses jeunes femmes se sont alors identifiées au personnage de Juliette et plus encore, bien sûr, à son interprète, comme le rappelle justement Françoise Audé dans son essai *Ciné-modèles, cinéma d'elles* (L'Âge d'homme, 1981).

À un journaliste qui lui demandait « Est-ce que l'appellation de « Nouvelle Vague » répond à la réalité ? » François Truffaut répondait en 1959 :

> « Je crois que la Nouvelle Vague a eu une réalité anticipée. C'était d'abord une invention de journalistes qui est devenue une chose effective. En tout cas, si l'on n'avait pas créé ce slogan journalistique au moment du Festival de Cannes, je crois que cette appellation ou une autre aurait été créée par la force des choses au moment où l'on aurait pris conscience du nombre des "premiers films".
>
> La Nouvelle Vague a désigné primitivement une enquête tout à fait officielle effectuée en France par je ne sais quel service de statistiques sur la jeunesse française en général. "La Nouvelle Vague", c'étaient les futurs médecins, les futurs ingénieurs, les futurs avocats. Cette enquête a été publiée dans *L'Express* qui lui a donné une large publicité, et, pendant quelques semaines, *L'Express* a paru avec, en sous-titre sur la première page : "*L'Express*, c'est le journal de la Nouvelle Vague". » (*France-Observateur* n° 501, 3 déc. 1959.)

2. Du côté des revues de critique de cinéma

La revue *Cinéma*, organe de la Fédération française des ciné-clubs, dirigée par Pierre Billard, fait paraître son premier numéro en novembre 1954, au moment même où les mouvements nationalistes déclenchent ce qui va devenir la guerre d'Algérie. *Cinéma 54* affiche en couverture Gérard Philipe serrant dans ses bras Danielle Darrieux dans *Le Rouge et le Noir*, de Claude Autant-Lara, film très représentatif de l'esthétique qui domine le « cinéma de qualité », au sein de la production française d'une certaine ambition.

Quatre ans plus tard, en février 1958, Pierre Billard propose une enquête sur la jeune génération du cinéma français. La presse spécialisée suit alors les modèles des nouveaux hebdomadaires. L'enquête s'intitule : « Quarante moins de 40 ans, la **jeune académie** du cinéma français. » Si la couverture de la petite revue (de format 13/18) affiche Ava Gardner dans *Le Soleil se lève aussi*, la quatrième de couverture présente deux photos, l'une de Brigitte Bardot (en bikini, masqué par deux éventails), l'autre de Darry Cowl, « les deux muses préférées de la jeune académie du cinéma français ». S'appuyant sur un strict critère biographique, l'année de naissance, Pierre Billard distingue, parmi les réalisateurs français en activité, les « anciens », nés avant 1914, et les « nouveaux », nés après 1918. Cette frontière fait passer à la trappe Jean-Pierre Melville, né en 1917, aîné de la nouvelle génération et précurseur du mouvement, comme le cinéaste l'a lui-même souvent affirmé par la suite. C'est la notion de « jeune académie » qui revient systématiquement dans l'enquête, alors que l'expression « Nouvelle Vague » n'est utilisée qu'une fois au détour d'un paragraphe, pour d'ailleurs en marquer le conformisme : « La sagesse avec laquelle cette *Nouvelle Vague* suit les traces de ses aînés est déconcertante. » Il est vrai qu'en février 1958 Chabrol vient tout juste de terminer *Le Beau Serge*, réalisé de décembre 1957 à janvier 1958. Celui-ci ne sortira qu'un an plus tard (le 11 février 1959, au studio Publicis).

C'est encore une fois *L'Express* qui reprend le terme de Nouvelle Vague pour l'attribuer aux nouveaux films distribués début 1959, et plus particulièrement, aux nouvelles œuvres présentées au Festival de Cannes de cette même année. Cette fois-ci, l'origine générationnelle et sociale du terme est vite balayée au profit de son application plus strictement cinématographique, grâce à l'extraordinaire succès de la campagne orchestrée par **Unifrancefilm**, structure officielle dépendant du

Centre national de la cinématographie (CNC) chargée de promouvoir le film français à l'étranger. Cette opération intervient donc directement à la suite du Festival de Cannes 1959, premier festival organisé sous la tutelle du tout nouveau ministère de la Culture que dirige pour la première fois le romancier et cinéaste André Malraux. Elle est bien vite relayée par la presse hebdomadaire et quotidienne : la Nouvelle Vague va déferler à longueur de colonnes pendant toute une saison cinématographique jusqu'au printemps 1960. Le témoignage de Truffaut confirme l'importance de ce Festival :

> « Puis sur les hasards qui ont fait du Festival une revue des films de jeunes cinéastes – non seulement pour la France, mais aussi pour les pays étrangers – les journalistes cinématographiques se sont servis de cette expression pour désigner un certain groupe de nouveaux cinéastes qui ne venaient pas forcément de la critique, puisque aussi bien Alain Resnais ou Marcel Camus y étaient inclus, et c'est ainsi que s'est forgé ce slogan qui, à mon avis, ne correspondait pas à une réalité, dans la mesure où, à l'étranger, on a pu croire par exemple qu'il y avait une association de jeunes cinéastes français qui se réunissaient à des dates régulières et qui avaient un plan, une esthétique commune, alors qu'il n'en était rien et qu'il ne s'agissait que d'un rassemblement fictif, tout à fait extérieur. » (*France-Observateur* n° 501, 3 déc. 1959.)

3. Le colloque de La Napoule

Parallèlement au Festival, Unifrance-film prend l'initiative de rassembler quelques jeunes et futurs cinéastes à La Napoule, à quelques kilomètres de la Croisette, autour d'un colloque que cautionne le ministère de la Culture, en la personne de Georges Altman, qui représente André Malraux. Il s'agit très directement de démontrer aux nombreux journalistes étrangers présents lors de ce déjà très médiatique festival qu'une relève est prête au sein de l'industrie du cinéma français.

Les cinéastes critiques ou même simples critiques des *Cahiers du cinéma* participent en nombre aux débats que dirige Jacques Doniol-Valcroze autour de François Truffaut, Claude Chabrol, Jean-Luc Godard. Les autres jeunes cinéastes présents sont, outre l'incontournable Roger Vadim, Robert Hossein, qui vient de réaliser *Les Salauds vont en enfer* (1955) et *Pardonnez nos offenses* (1956), Édouard Molinaro, François Reichenbach, Edmond Séchan, Jean-Daniel Pollet, Marcel Camus, Jean Valère et Louis Félix. Les actes de ce colloque sont immédiatement publiés par l'hebdomadaire *Arts*, tribune habituelle de François Truffaut, avec le titre suivant : « Pour la première fois, avec le colloque de La Napoule, le nouveau cinéma français définit sa profession de foi. » (Voir, pour une analyse détaillée de ce colloque, le livre de Jean-Michel Frodon, *L'Âge moderne du cinéma français*.)

Bien entendu, l'analyse des interventions démontre l'inexistence de cette définition et révèle plutôt de profondes divergences d'opinions. Avec enthousiasme et candeur, Robert Hossein, suivi par Édouard Molinaro et Marcel Camus, propose d'organiser, dix ans avant les célèbres « États généraux du cinéma » de mai-juin 1968, une « assemblée constituante du jeune cinéma ». Chabrol, Truffaut et Doniol-Valcroze approuvent poliment mais refusent les mesures concrètes proposées avec un bel idéalisme par Hossein. Louis Malle et Jean-Luc Godard – ce dernier déjà en position de rabat-joie alors qu'il n'a réalisé que quelques courts métrages confidentiels – développent des arguments très polémiques, refusant tout unanimisme de façade. Mais la publication de ces débats relance la campagne médiatique. Le très sérieux quotidien *Le Monde*, à l'époque plutôt circonspect envers l'actualité cinématographique, publie en août 1959 une série d'entretiens avec des cinéastes français de toutes générations, tant les patriarches Jean Renoir et René Clair que les benjamins Louis Malle, Alexandre Astruc et Roger Vadim, Georges Franju appartenant à la génération intermédiaire. A la question : « Existe-t-il réellement une Nouvelle Vague ? », qui leur est soumise, le producteur de *Et Dieu créa la femme*, Raoul Lévy, apporte la réponse suivante : « Je crois que la Nouvelle Vague est une vaste plaisanterie. » Après *Le Monde* et *L'Express*, c'est au tour de *France Observateur* pour lequel Pierre Billard organise deux tables rondes, l'une réunissant, fin 1959, à nouveau François Truffaut, Jacques Rivette, Doniol-Valcroze et Pierre Kast, l'autre, un an plus tard (octobre 1960), Truffaut, Rohmer, Godard et Marcel Moussy. Cette liste très sélective démontre que ce sont surtout les cinéastes critiques des *Cahiers du cinéma* qui ont occupé les micros, provoquant la rancœur des réalisateurs de l'ancienne génération, de Claude Autant-Lara à René Clément, certes moins bavards, mais surtout beaucoup moins sollicités par les médias. Enfin, il serait vain de chercher dans ces témoignages d'époque une définition cohérente du mouvement, le débat publié en 1960 concluant que « la Nouvelle Vague, c'est la diversité ».

Cette promotion trouve réellement la meilleure consécration culturelle avec la publication de livres sur le mouvement, dont on remarquera la rapidité d'écriture et d'édition. La Nouvelle Vague existe à peine, elle est insaisissable et indéfinissable, mais elle est déjà l'objet d'exégèses historiques. André-Sylvain Labarthe, collaborateur des *Cahiers du cinéma*, publie son *Essai sur le jeune cinéma français* aux éditions du Terrain vague, dans le format à l'italienne, dès juin 1960. Jacques Siclier lui emboîte le pas avec un petit livre, intitulé prudemment avec un point d'interrogation *Nouvelle Vague ?*, rédigé de septembre 1959 à décembre 1960 et publié aux éditions du Cerf en février 1961 dans la célèbre collection « 7e Art », celle-là même qui venait d'accueillir en quatre volumes les œuvres complètes d'André Bazin, maître à penser des *Cahiers du cinéma*, sous le titre *Qu'est-ce que le cinéma ?*

La consécration entraîne la réfutation polémique. Celle-ci ne tarde pas puisque Raymond Borde, Freddy Buache et Jean Curtelin s'associent pour publier un pamphlet d'une extraordinaire violence contre le mouvement, vu à partir des positions critiques de *Positif* et de l'engagement militant : *Nouvelle Vague*, publié en mai 1962 aux éditions Serdoc (mais l'article de Borde a été écrit dès mars 1959 puis remanié en avril 1960, un mois après la sortie de *À bout de souffle*). Cette plaquette entend être, d'une certaine manière, le bilan nécrologique d'une imposture :

> « Certains débutants se sont lancés dans la réalisation comme les jeunes filles faisaient jadis de l'aquarelle, pour occuper des loisirs dorés. Ceux-là disparaîtront assez vite. D'autres ont en vue une carrière et, parce que l'enseignement ne payait pas ou que l'École d'administration était trop difficile, ils ont pris le chemin des studios avec l'intention d'y rester. Leur petit «message», comme disent les croque-morts de la culture, ils l'ont livré tout de suite : c'était généralement une poussée de morale niaise à l'âge adulte, mêlée parfois d'une crise d'originalité libertine. Puis ils ont jeté l'ancre et les voilà, je crois bien, amarrés dans la profession. C'est le cas de Chabrol, de Truffaut, de Molinaro, de Hossein, de Malle et demain de Doniol-Valcroze. Nous n'avons pas fini de voir leur nom dans les génériques et, s'ils savent nager, ils ont devant eux l'avenir des anciens : Christian-Jaque, Joannon, Delannoy » (Raymond Borde, *Nouvelle Vague*, 1962).

4. Date de naissance : février-mars 1959

Afin de baliser le terrain avec un minimum de précision et d'éviter une expansion incontrôlée de ce courant historique, des films précurseurs comme *Le Silence de la mer* (Jean-Pierre Melville, 1948) jusqu'à *Week-end*

(Jean-Luc Godard, 1967) et, pourquoi pas, son film intitulé *Nouvelle Vague* (1990), nous proposerons les limites suivantes :

L'expression « Nouvelle Vague » apparaît et revient donc systématiquement dans la presse non spécialisée, comme nous venons de le rappeler, à partir de février et de mars 1959. Elle accompagne la sortie commerciale des deux premiers longs métrages de Claude Chabrol, *Le Beau Serge* et *Les Cousins*. L'exploitation de ces deux films est très rapprochée, car le premier titre est resté dans ses boîtes pendant plus d'une année. Mais comme le fera Jean-Luc Godard en 1963 en commençant à tourner *Le Mépris* avant la sortie des *Carabiniers,* Claude Chabrol réalise son second film *avant* la sortie du premier, grâce à la « prime à la qualité » (procédure sur laquelle nous reviendrons en détail dans le chapitre 3 « un concept économique »).

Point de départ de la « Nouvelle Vague » (du point de vue de sa percée médiatique) :
Le Beau Serge, réalisation décembre 1957-janvier 1958 ; sortie le **11 février 1959**.
Les Cousins, réalisation juillet-août 1958 ; sortie le **11 mars 1959**.

Cette double sortie est relayée deux mois plus tard, en mai 1959, par la sélection très inattendue au Festival de Cannes du premier long métrage de François Truffaut, *Les Quatre Cents Coups*, qui représente la France dans la compétition, avec *Orfeu Negro*, de Marcel Camus ; c'est ce dernier film, plutôt conventionnel, qui obtient la Palme d'or. La sélection du film de Truffaut a été décidée contre une très forte résistance du milieu cinématographique, Truffaut ayant été « interdit de Festival » l'année précédente pour ses attaques très violentes contre l'industrie française du cinéma, publiées dans l'hebdomadaire *Arts* (« Le cinéma français crève sous les fausses légendes. » Nous reviendrons en détail sur cet article dans le chapitre 2). De plus, André Malraux, qui n'a pu imposer (pour des raisons plus politiques qu'esthétiques) au sein de la sélection officielle *Hiroshima mon amour*, le premier long métrage de son gendre Alain Resnais, encourage le producteur Anatole Dauman à le présenter hors compétition, avec le succès que l'on sait.

Les Quatre Cents Coups et *Hiroshima* sont distribués dès juin 1959, immédiatement à la suite du Festival, afin de bénéficier des retombées journalistiques et promotionnelles de celui-ci : le 3 juin pour le film de Truffaut, le 10 juin pour celui de Resnais. Leur succès commercial dépasse tous les pronostics. Cependant, le point d'orgue de l'exploitation des films Nouvelle Vague est représenté la saison suivante par la sortie triomphale de *À bout de souffle* en mars 1960 : 259 000 entrées en exclusivité parisienne. Entre-temps sont sortis *À double tour*, troisième long métrage de Claude Chabrol (4 décembre 1959), et *Le Bel Âge* de Pierre Kast (10 février 1960). Mais la fin de l'année 1960 marque déjà le reflux commercial et médiatique du phénomène. Le quatrième film de Claude Chabrol, *Les Bonnes Femmes* (sortie le 22 avril 1960), est un échec critique et commercial. Les premiers longs métrages de Jacques Rivette (*Paris nous appartient*) et d'Éric Rohmer (*Le Signe du lion*) devront attendre trois années avant d'être présentés au public pour ne connaître qu'une exploitation très confidentielle. Plus gravement encore, le second long métrage de Jean-Luc Godard, *Le Petit Soldat*, réalisé au printemps 1960, est totalement interdit par la censure pour ne sortir qu'en 1963. Son troisième film *Une femme est une femme* est un échec commercial, comme le sera également le second long métrage de François Truffaut, *Tirez sur le pianiste*.

En résumé et du point de vue de la consécration médiatique, la Nouvelle Vague n'aura vraiment marqué que deux saisons cinématographiques, du début de 1959 à la fin de 1960. Les films sont d'ailleurs très diversement accueillis par le public et par la critique. Nous verrons dans le chapitre 2 (« Un concept critique ») que les cinéastes intégrés au mouvement, comme Truffaut et Godard, dénonceront au départ ce qu'ils estiment être un amalgame abusif et très superficiel, affirmant leur originalité respective. Puis, alors que l'esthétique « Nouvelle Vague » est violemment attaquée par les critiques ou metteurs en scène de la génération antérieure, par tous les représentants du retour au cinéma de « qualité française » ou au cinéma de simple divertissement, ces mêmes jeunes cinéastes modifieront radicalement leur stratégie pour affirmer leur appartenance au mouvement et l'originalité de son esthétique.

Il est bien plus délicat de proposer une date marquant la fin du mouvement. Comme nous l'avons noté, l'année 1960 n'est pas très favorable aux films des jeunes réalisateurs. Alors que 1957 marquait un sommet de la fréquentation en salles avec 411 millions de spectateurs, l'année 1958 marque le début d'une chute qui va caractériser toute la décennie. On passe de 354 millions de spectateurs en 1959, à 328 millions en 1961 et à 292 millions en 1963. De 1957 à 1969, la chute est vertigineuse, la fréquentation tombe à 184 millions de spectateurs. Le cinéma français a perdu plus de la moitié de son public en quinze ans (voir *Le Cinéma des Français, la Ve République 1958-1978*, de Jean-Pierre Jeancolas, notamment le tableau p. 12-13). Ce phénomène n'est pas spécifiquement national puisqu'il touche également l'Angleterre et l'Allemagne, mais certains ne se priveront pas d'attribuer cette chute à l'apparition des films de jeunes réalisateurs et à faire « porter le chapeau » à la Nouvelle Vague.

Alors que *Les Quatre Cents Coups* et *À bout de souffle* atteignent des chiffres de 450 000 spectateurs en fin d'exploitation nationale, *Tirez sur le pianiste* en accueille 70 000, *Une femme est une femme*, 65 000, *Les Godelureaux*, 23 000 et *Lola*, premier long métrage de Jacques Demy, 35 000. Truffaut constate alors qu'« il devient évident que les films de jeunes, dès qu'ils s'éloignent un peu de la norme, se heurtent, en ce moment, à un barrage de la part des exploitants et de la presse ». Il perçoit même une certaine revanche de la « vieille vague », dont plusieurs films vont avoir un grand succès public comme *Le Baron de l'écluse* de Jean Delannoy (366 000 entrées) avec Jean Gabin, sans parler du triomphe du dernier Clouzot, *La Vérité* (527 000 entrées) avec Bardot, Charles Vanel et Paul Meurisse. Le Gabin suivant, réalisé par Denys de La Patellière sur un scénario et des dialogues de Michel Audiard, *Rue des Prairies*, est lancé par la publicité avec un slogan encore plus explicite : « Jean Gabin règle ses comptes à la Nouvelle Vague. »

La Nouvelle Vague ne disparaît cependant pas si vite. Le phénomène de renouvellement des réalisateurs se prolonge jusqu'à atteindre plus de 160 nouveaux cinéastes de janvier 1959 à la fin 1962, comme en témoigne le « dictionnaire » publié par les *Cahiers du cinéma* en décembre 1962. Chabrol réalise sept longs métrages en quatre ans, mais leur fréquentation marque une chute qui devient dramatique : on passe de 84 000 spectateurs pour *Les Bonnes Femmes* en 1960 à 8 000 pour *L'Œil du malin* et 6 900 pour *Ophélia*. Truffaut a plus de chance avec son troisième film *Jules et Jim* : 210 000 spectateurs, de même Godard avec *Vivre sa vie* : 148 000 entrées, avant l'échec retentissant des *Carabiniers* : 2 800 spectateurs en deux semaines d'exploitation. C'est le plus grave échec de la Nouvelle Vague. Au même moment, Chabrol accepte une commande commerciale afin de redresser sa carrière : la vie de *Landru*, sur un scénario de Françoise Sagan avec Michèle Morgan, pendant que Truffaut tente désespérément de monter la production de *Fahrenheit 451*, film qu'il ne pourra réaliser que trois ans plus tard. **Le début de l'année 1963 marque donc un tournant et la fin d'une époque.**

La Nouvelle Vague aura vécu de quatre à cinq années, ce qui n'est pas négligeable pour un mouvement cinématographique soumis à l'humeur changeante des médias et aux désirs velléitaires du public, mais elle aura totalement bouleversé le paysage cinématographique français et provoqué de nombreux « chocs » psychologiques dans la plupart des cinématographies étrangères qui découvrent ces films avec une certaine stupéfaction mêlée de passions contradictoires.

5. Une « jeune académie » plutôt morose

Au début de l'année 1958, le bilan proposé par Pierre Billard dans *Cinéma 58* est pourtant particulièrement morose. Il ne fait qu'emboîter le pas au discours qui domine le numéro spécial « Situation du cinéma français » que viennent de publier les *Cahiers du cinéma* en mai 1957 (n° 71), sur lequel nous reviendrons plus longuement au second chapitre. Billard souligne que l'indéniable prospérité économique actuelle du cinéma français de la période s'accompagne d'une profonde crise artistique. « Le tarissement de l'inspiration, la stérilisation des sujets, l'immobilisme esthétique sont difficilement contestables : à de rares exceptions près, les meilleurs films de ces dernières années relèvent, quant à leur forme et quant à leur contenu, de conceptions périmées. » Billard distingue alors les « espoirs déçus ou à confirmer » et énumère les noms de : Edouard Molinaro, « auteur de courts métrages plein d'humour » qui vient de commencer *Le Dos au mur*, d'après un roman de Frédéric Dard ; Roger Pigaud, qui vient de tourner en France et en Chine *Le Cerf-Volant du bout du monde* ; Robert Ménégoz, auteur d'un court métrage qui a fait parler de lui, *Vivent les dockers*, et qui vient de terminer également en Chine *La Grande Muraille*, malheureusement resté inédit ; enfin le « talentueux Louis Malle », coréalisateur du *Monde du silence* avec le commandant Cousteau, qui vient d'obtenir le prix Louis-Delluc pour *Ascenseur pour l'échafaud*.

La seconde catégorie du tableau proposé par le critique est intitulée les « Faux et vrais grands ». Elle comprend Yves Ciampi, Henri Verneuil, Denys de La Patellière, Jack Pinoteau, Hervé Bromberger, Claude Boissol, Michel Boisrond, Charles Brabant, Norbert Carbonnaux, Robert Hossein, Marcel Camus, Alex Joffé. Pierre Billard distingue également Alexandre Astruc pour *Les Mauvaises Rencontres* qu'il sous-estime plutôt, caractérisant le film par un excès de formalisme, et Roger Vadim, dont il surestime au contraire le premier film. Mais le critique suit en cela les réactions de ses confrères, tous subjugués par la modernité de Roger Vadim :

> « Quel style ! A réussi à faire des œuvres personnelles et attachantes avec Curd Jürgens, la Côte d'Azur et Brigitte Bardot (*Et Dieu créa la femme*) et même avec Venise et un scénario infantile (*Sait-on jamais*). Aime le jazz, le fric, les belles filles et la publicité... comme vous et moi. Est donc très moderne [*on appréciera cette définition de la modernité*]. Son sens plastique, sa direction d'acteurs remarquables. Sait inventer les situations probables, à contre-courant des conventions, et les répliques qui portent, à contre-courant d'Henri Jeanson. Sa principale qualité : la désinvolture. »

Pierre Billard a beau jeu d'opposer la pâleur de cette nouvelle académie du cinéma français aux révélations qui marquent le renouvellement des productions étrangères en 1957-1958 : Robert Aldrich aux États-Unis (*En quatrième vitesse*, *Le Grand Couteau*, tous deux en 1955), Grigori Tchoukhraï en URSS (*Le Quarante et Unième*, 1956), Juan Antonio Bardem en Espagne (*Mort d'un cycliste*, 1955 ; *Grand'Rue*, 1956), Andrzej Wajda en Pologne (*Une fille a parlé*, 1955 ; *Kanal*, 1956), Francesco Maselli en Italie (*La Femme du jour*, 1957). Il attribue cette faiblesse aux conditions générales de l'organisation cinématographique en France, « très défavorable à l'essor d'une nouvelle génération », pour les raisons suivantes :

– inexistence d'un secteur de production expérimental ;

– incohérence et absurdité de l'organisation professionnelle qui multiplie les barrages et les cloisons entre les spécialités et hiérarchise à l'extrême les emplois ;

– relative prospérité du court métrage qui retient les meilleurs talents ;

– tendance de la production nationale à développer les « grands films internationaux » en coproduction avec vedettes étrangères, en couleurs et devis élevés, donc des films confiés à des réalisateurs chevronnés, qui ont fait leurs preuves – au moins commerciales ;

– enfin, manque d'esprit de recherche et de goût du risque des producteurs qui confient l'essentiel de la production à un petit nombre de réalisateurs « besogneux et sans talents ».

En douze années (1945-1957), **167 films**, soit 20 % de la production totale ont été réalisés par **9** metteurs en scène (moyenne de 18 films par cinéaste). Il importe de tous les citer afin de bien percevoir ce qu'est réellement le cinéma français des années 1950, celui que les producteurs soutiennent et que le grand public va voir en masse :

André Berthomieu (30 films), Jean Stelli (22 films), Jean Boyer (21 films), Richard Pottier (18 films), Robert Vernay (17 films), Maurice Labro (17 films), Henri Lepage, Maurice de Canonge, Raoul André (14 films chacun).

Tous ces cinéastes sont des professionnels qui ont une conception étroitement artisanale de leur activité. Ils réalisent des films pour améliorer les rendements de la production. La liste intégrale de leurs réalisations serait aujourd'hui accablante. Ces conditions ne peuvent évidemment permettre un renouvellement de la création tel qu'on l'observe dans le domaine du roman ou du théâtre.

Pierre Billard en conclut que les nouveaux talents se dirigent plutôt vers la télévision, ou bien renforcent la créativité du secteur du court métrage. Il s'interroge toutefois sur les tentatives mi-avortées de Jacques Rivette (*Le Coup du berger*), mi-réussies de François Truffaut (*Les Mistons*) et évoque le prochain long métrage de Claude Chabrol, *Le Beau Serge*, les films de court ou de long métrages de « ceux des *Cahiers du cinéma*, tous entrepris en production indépendante ; ne risquent-ils pas d'aboutir à d'intéressantes révélations ? ». Son hypothèse ne manquait pas de perspicacité.

6. Le cinéma français en 1958 : état des lieux

Sclérose esthétique et bonne santé économique : on pourrait ainsi résumer l'état du cinéma français à la veille de l'explosion de la Nouvelle Vague.

Les dix ans qui séparent 1947 de 1957 connaissent les deux années de record de fréquentation dans les salles : 423 millions de spectateurs en 1947, 411 millions en 1957 avec, comme seuil inférieur, l'année 1952 : 359 millions. Les Français, en grand nombre, vont régulièrement au cinéma, voir notamment les fameux programmes du « samedi soir ». En cela, les années 1950 sont dans la continuité des quatre années d'occupation, également très prospères pour les exploitants. D'où le mythe de l'« âge d'or » du cinéma français, sous le règne du Maréchal, « or » étant pris dans son acception monétaire, du moins pour les distributeurs et les propriétaires de salles. Le nombre de films produits par an tourne autour de 120 à 140 films : 129 films en 1956, 142 en 1957, 126 en 1958. Cela correspond à peu près aux capacités du marché et il n'y a pas de surproduction, comme dans certaines années d'avant-guerre (143 films en 1933, auxquels il faut ajouter 32 versions françaises réalisées à l'étranger). Le seul point faible est l'exportation des films qui, en dehors des colonies et des départements et territoires français d'outre-mer, a beaucoup de mal à s'imposer face à la concurrence nord-américaine. Si *Et Dieu créa la femme* est devenu aussi rapidement un film mythique, c'est parce qu'il a connu, après une première sortie française très moyenne, un succès aussi inattendu qu'inespéré sur les écrans anglais, brésiliens, allemands puis nord-américains. Le phénomène se renouvellera avec les premiers films de la Nouvelle Vague comme *Les Quatre Cents Coups*, *À bout de souffle* et *Hiroshima mon amour*.

Les films que les Français vont voir, dans la seconde partie des années 1950, sont des grosses productions américaines (*Guerre et Paix* de King Vidor en 1956, *Le Tour du monde en 80 jours* de Michael Anderson, talonnant *Le Pont de la rivière Kwaï*, film anglais de David Lean en 1957), des films à grand spectacle dont le prototype reste *Les Dix Commandements* de Cecil B. DeMille en 1958 (526 000 spectateurs, toujours en exclusivité parisienne), ou bien des films comiques français comme *Le Triporteur*, de Jack Pinoteau avec Darry Cowl en 1957 (troisième recette de l'année 1957 avec 309 000 spectateurs, devançant *À pied, à cheval et en spoutnik*, de Jean Dréville), et enfin des films policiers plutôt parodiques comme *Les Femmes s'en balancent* de Bernard Borderie en 1954 et *Votre Dévoué Blake* de Jean Laviron, la même année, tous deux avec Eddie Constantine en vedette.

Un autre film réalisé par un jeune auteur à connaître alors un grand succès public est le second long métrage de Louis Malle, *Les Amants*, en 1958, sans doute en raison de la représentation des relations amoureuses entre les deux protagonistes du film qui est audacieuse pour l'époque. Il transforme Jeanne Moreau en vedette.

Les autres succès français sont signés Sacha Guitry (*Si Versailles m'était conté,* qui est la première recette de l'année 1954, avec 685 000 spectateurs), Henri-Georges Clouzot (*Les Diaboliques*, première recette de l'année 1955), René Clair (*Les Grandes Manœuvres*, quatrième recette de cette même année), Jean Delannoy, René Clément et Claude Autant-Lara (*Notre-Dame de Paris*, qui est la deuxième recette de l'année 1956, *Gervaise*, la troisième et *La Traversée de Paris*, la quatrième, tous derrière *Guerre et Paix* de King Vidor en première place).

L'année 1958 voit le nouveau triomphe de Marcel Carné avec *Les Tricheurs*, son premier succès depuis 1945, et *Les Enfants du paradis*; elle est également témoin du triomphe de Jacques Tati avec *Mon Oncle* et de Denys de La Patellière avec *Les Grandes Familles*.

Enfin, l'année 1959, celle de la Nouvelle Vague, a pour champion du « box-office » Roger Vadim pour *Les Liaisons Dangereuses 1960*, suivi de Marcel Camus (*Orfeu Negro*) et de Henri Verneuil, dont *La Vache et le prisonnier* commence une longue carrière (avec 401 000 spectateurs en première exclusivité, pour atteindre quelques décennies plus tard 8 800 000 spectateurs).

Les grands succès français ne sont pas tous des films médiocres, même si le film de Jean Dréville (*À pied, à cheval et en spoutnik*) n'a pas marqué l'histoire de l'art du cinéma. Il y a, pendant cette période, une certaine correspondance entre les goûts du grand public et un « cinéma de qualité », celui-là même auquel s'en prendra Truffaut avec véhémence, comme en attestent les résultats financiers excellents des *Diaboliques*, de *Gervaise*, des *Grandes Manœuvres*, de *Porte des Lilas* et des *Tricheurs*. Cette appréciation strictement commerciale doit être complétée par un panorama des « films de prestige » selon des critères institutionnels stricts, c'est-à-dire les films français qui ont été primés dans les festivals internationaux, ou bien par les jurys hexagonaux (prix Louis-Delluc, décerné par la critique, Grand Prix du cinéma français, décerné par la profession).

Si, de 1954 à 1958, le Festival de Cannes n'accorde qu'une fois la Palme d'or à un film français, *Le Monde du silence* en 1956, premier long métrage de Jacques-Yves Cousteau et Louis Malle, il distingue toutefois par des prix de la mise en scène ou d'interprétation *Monsieur Ripois* (René Clément) et *Avant le déluge* (André Cayatte) en 1954, *Le Mystère Picasso* (Henri-Georges Clouzot) en 1956, *Un condamné à mort s'est échappé* (Robert Bresson) en 1957, *Mon Oncle* (Jacques Tati) en 1958, avant d'accorder une nouvelle Palme à *Orfeu Negro* (Marcel Camus) en 1959 et le prix de la mise en scène aux *Quatre Cents Coups* (François Truffaut).

André Cayatte, Henri-Georges Clouzot, René Clément mais aussi, et pour séparer les « auteurs », selon Truffaut, des « cinéastes de qualité », Robert Bresson et Jacques Tati sont donc internationalement reconnus, comme en témoigne ce baromètre de l'opinion critique qu'est le Festival. Le Grand Prix du cinéma français, aux critères plus traditionalistes et corporatifs, récompense Autant-Lara (*Le Blé en herbe*, 1954), Jean-Paul Le Chanois (*Les Évadés*, 1955), René Clair (*Porte des Lilas*, 1957) et Marcel Carné (*Les Tricheurs*, 1958). En 1956, il est plus audacieux en choisissant *Le Ballon rouge* d'Albert Lamorisse et plus encore *Nuit et Brouillard* d'Alain Resnais qui aura également le prix Jean-Vigo.

Le prix Louis-Delluc passe de la pure tradition – toujours avec René Clair et Clouzot (*Les Diaboliques*, 1954 ; *Les Grandes Manœuvres*, 1955) – à une certaine forme d'innovation avec *Le Ballon rouge* (1957), *Ascenseur pour l'échafaud*, premier film d'un réalisateur de 25 ans (1957). En 1958, il pousse l'audace à un plus haut degré en couronnant un film très marginal, selon les critères de la production professionnelle, *Moi, un Noir*, de Jean Rouch. Nous reviendrons plus loin sur l'importance de ce film.

Pendant toute cette période, les oscars d'Hollywood du Meilleur Film étranger distinguent deux fois René Clément pour *Au-delà des grilles* en 1950 et pour *Jeux interdits* en 1952, avant Jacques Tati pour *Mon Oncle* en 1958 et l'inévitable *Orfeu Negro* de Marcel Camus en 1959. De 1948 à 1958, les goûts des jurés américains se sont nettement affinés puisqu'on passe du médiocre Maurice Cloche (oscar du Meilleur Film étranger pour *Monsieur Vincent*) à Jacques Tati.

Les grands auteurs consacrés appartiennent donc à la génération qui a débuté à l'époque du cinéma muet comme René Clair, ou à l'époque de l'Occupation comme Henri-Georges Clouzot, Jacques Becker et André Cayatte. Il est cependant erroné d'estimer que le cinéma français est une citadelle inexpugnable. Tous les ans, de nouveaux réalisateurs apparaissent sur le marché : 8 en 1946, 15 en 1947, 20 en 1949, 21 en 1951. Seules les années 1954 et 1955 ne voient que 9 premiers films.

Cependant, en raison de toutes les contraintes que rappelait plus haut Pierre Billard, la plupart des nouveaux venus reprennent les recettes du cinéma commercial de consommation courante. L'industrie française du cinéma reste, au cours des années 1950, très peu perméable à l'innovation. C'est ce que dénoncent avec force les critiques réunis par les *Cahiers du cinéma* dans leur numéro spécial de mai 1957, « Situation du cinéma français » (n° 71) comme nous le rappellerons dans le chapitre 3.

Le seul exemple de l'année 1951 (date de réalisation) est éloquent. Débutent, cette année-là, les cinéastes suivants (11 nouveaux longs métrages distribués en 1952, selon Pierre Billard) : Guy Lefranc avec *Knock*, Jean Laviron avec *Descendez, on vous demande*, Henri Schneider avec *La Grande Vie*, Henri Lavorel avec *Le Voyage en Amérique*, Claude Barma avec *Le Dindon*, Jack Pinoteau avec *Ils étaient cinq*, Henri Verneuil avec *La Table aux crevés*, Bernard Borderie avec *Les Loups chassent la nuit*, Daniel Gélin avec *Les Dents longues*, André Michel avec *Trois Femmes*, Ralph Baum avec *Nuits de Paris* et Georges Combret avec *Musique en tête*.

De cette liste, essentiellement marquée par la prolongation des anciennes recettes, on peut distinguer *La Grande Vie*, seul film d'Henri Schneider, tentative assez maladroite de néoréalisme, distinguée par le premier prix Jean-Vigo, ainsi que le film de l'acteur Daniel Gélin, *Les Dents longues*, histoire d'un jeune arriviste : un journaliste débutant quitte Lyon pour Paris et pour prendre la place de son rédacteur en chef, aux commandes de *Paris-France*. Ce scénario est très voisin de celui du premier long métrage d'Astruc *Les Mauvaises Rencontres*. Ce sera également le seul long métrage de l'acteur.

Après *Le Dindon*, Claude Barma, qui a participé au film sur la Libération de Paris en 1944, écœuré par l'état de l'industrie cinématographique au début des années 1950, ira rejoindre le petit écran de la télévision pour y créer avec Pierre Dumayet et Pierre Desgraupes la série « En votre âme et conscience » et mettre en scène *Macbeth*, *Hamlet*, *Cyrano de Bergerac* avec Daniel Sorano. Il ne sera pas le seul à suivre cette voie. La plupart des jeunes diplômés de l'IDHEC[1] ne peuvent s'intégrer à cette industrie et optent pour la télévision. Ils vont constituer l'école documentaire des Buttes-Chaumont. Le cinéma français et la télévision nationale vont alors vivre de manière très cloisonnée. Les transferts d'une pratique à l'autre resteront exceptionnels, contrairement à ce qui se passe pendant la même période dans les pays anglo-saxons.

Les réalisateurs que l'histoire du cinéma a retenus pendant cette période restent Jean Renoir, Robert Bresson, Max Ophuls, Jacques Tati, Jacques Becker, Jean Cocteau, et Jean Grémillon. Seul ce dernier est oublié par François Truffaut dans son palmarès des « auteurs » ; il y ajoutait, un peu par provocation et pour *La Tour de Nesle*, Abel Gance, et Roger Leenhardt pour un seul film, *Les Dernières Vacances* (voir dans le chapitre suivant l'article de F. Truffaut intitulé « Une certaine tendance du cinéma français »).

En 1958, le cinéma français est pleinement devenu une industrie, même si la production relève, en termes strictement économiques, d'une certaine forme d'artisanat : il s'agit de fabriquer des spectacles pour distraire et d'accumuler du profit en distrayant. Vers la fin de la décennie, il va subitement changer de fonction sociale, et devenir partiellement un moyen d'expression artistique, répondant à la prophétie d'Alexandre Astruc (voir chapitre 2). Les dizaines de milliers de ciné-clubs qui caractérisent la vie culturelle de ces années contribuent fortement à ce mouvement. Significativement, en 1959, le cinéma va quitter la tutelle du ministère de l'Industrie et du Commerce pour dépendre du nouveau ministère de la Culture.

La « Nouvelle Vague » est l'une des expressions de cette brutale rupture de statut social. L'adaptation des structures de production à cette nouvelle fonction va prendre plus de quatre décennies. C'est ce que l'on appelle, déjà depuis 1908, la « crise du cinéma ».

---

1. IDHEC : Institut des hautes études cinématographiques, créé en 1943 par Marcel L'Herbier, ouvert en janvier 1944. Est, depuis la fin des années 1980, la FEMIS : institut de Formation et d'enseignement pour les métiers de l'image et du son.

Un concept critique

1. Une école critique

Malgré les dénégations initiales et régulières des réalisateurs de la Nouvelle Vague (Truffaut : « Je ne vois qu'un point commun entre les jeunes cinéastes : ils pratiquent tous assez systématiquement l'appareil à sous, contrairement aux vieux metteurs en scène qui préfèrent les cartes et le whisky », *Arts*, n° 720, 20 avril 1959), ce courant artistique est étroitement lié à un ensemble de **concepts critiques** communs à un groupe assez cohérent. L'un des premiers critères d'appartenance au mouvement est d'ailleurs l'expérience de la critique. Ces jeunes cinéastes sont des cinéphiles, ils connaissent l'histoire du cinéma, ont acquis de cette manière une culture cinématographique et une certaine conception de la mise en scène fondée sur des choix esthétiques, des options morales, des goûts et, plus encore, de violents dégoûts. Mais ces goûts et conceptions ont trouvé une **forme matérielle** dans un très grand nombre d'articles, débats publics, interventions dans la presse écrite et radiophonique tout au long des années 1950. Les futurs cinéastes se sont d'abord exprimés par la plume et certains, comme Jean-Luc Godard, ont toujours estimé qu'il y avait même une continuité entre les deux pratiques :

> « Nous nous considérions tous aux *Cahiers* comme de futurs metteurs en scène. Fréquenter les ciné-clubs et la cinémathèque, c'était déjà penser cinéma et penser au cinéma. Écrire, c'était déjà faire du cinéma, car, entre écrire et tourner, il y a une différence quantitative, non qualitative. Le seul critique qui l'ait été complètement, c'était André Bazin. Les autres, Sadoul, Balàzs, ou Pasinetti, sont des historiens ou des sociologues, pas des critiques » (*Cahiers du cinéma*, n° 138, décembre 1962).

La Nouvelle Vague est donc, comme nous l'avons vu au premier chapitre, en premier lieu une étiquette, ce que confirme Claude Chabrol :

> « En 1958 et 1959, les copains des *Cahiers* et moi, passés à la réalisation, avons été promus comme une marque de savonnettes. Nous étions "la Nouvelle Vague". L'expression était de Françoise Giroud, rédactrice en chef de *L'Express*, et une des plumes les plus acérées de l'opposition au

> gaullisme, qui a fait cadeau d'un slogan très vendeur à ses adversaires politiques du moment » (début du chapitre « Nouvelle Vague » dans son recueil de souvenirs intitulé *Et pourtant je tourne*, en 1976).

Il s'agit donc d'un slogan journalistique. Mais est-ce aussi un mouvement artistique ? Est-ce une école ? La notion d'**école** appartient à l'histoire de l'art et à l'histoire littéraire.

Les premiers historiens du cinéma ont immédiatement transposé ces classifications commodes afin de déterminer les courants repérables au début du siècle. La transposition était d'autant plus aisée que certains courants littéraires ou plastiques ont connu des prolongements et résurgences directes dans le champ du cinéma. Ainsi, en France, le naturalisme d'Émile Zola, appliqué au théâtre par André Antoine, lui-même formateur d'acteurs puis cinéaste, a nourri les premières adaptations de la SCAGL (Société cinématographique des auteurs et gens de lettres, filiale de Pathé) comme l'a fait par exemple le *Germinal* d'Albert Capellani en 1913.

En Allemagne, l'expressionnisme, mouvement d'expression d'abord plastique, architecturale, puis littéraire, a connu ensuite, avec un décalage de dix ans, un visage cinématographique avec la production d'un film manifeste, *Le Cabinet du docteur Caligari* (Robert Wiene, 1919).

Traditionnellement, on énumère, parmi ces écoles, outre le naturalisme et l'expressionnisme, les avant-gardes des années 1920 : école du « montage soviétique », futurisme, surréalisme ; on parle d'écoles réalistes, dans toutes leurs variétés, comme le réalisme poétique, le néoréalisme, le réalisme documentaire, le réalisme socialiste, le « *free cinema* » anglais, etc.

Le cinéma moderne, comme d'ailleurs le cinéma dit « classique », est tout aussi bien une catégorie valise qui connaît autant de compartiments que de périodes et de nationalités. Quant aux cinémas « postmodernes » et au cinéma « maniériste », leurs étiquettes conceptuelles sont encore d'une plus grande fragilité et malléabilité.

Malgré ce peu de consistance des catégories admises, il n'est pas inutile de s'y référer, au moins pour tenter de les cerner avec plus de précision, quitte à les réfuter partiellement ou totalement. Par exemple, dans un chapitre de son livre consacré aux rapports entre peinture et cinéma, *L'Œil interminable*, Jacques Aumont a démontré la fragilité de la notion d'expressionnisme, qu'il ramène à un ou deux titres de l'histoire du cinéma. Mais, chassé de la demeure de la théorie rigoureuse, l'expressionnisme ne cesse de revenir par les fenêtres du discours critique à propos du film noir, des films d'Orlon Welles comme *Citizen Kane*

(1940) et *La Soif du mal* (*Touch of Evil*, 1958) ou d'*Element of Crime* de Lars von Trier (1984).

• *La Nouvelle Vague est-elle une école ?*

Pour répondre avec un minimum de rigueur à la question, il faut examiner plusieurs paramètres. Une école suppose :

– un corps d'une doctrine critique minimal, commun à un groupe de journalistes ou de cinéastes ;

– un programme esthétique supposant une stratégie ;

– la publication d'un manifeste explicitant publiquement cette doctrine ;

– un ensemble d'œuvres répondant à ces critères ;

– un groupe d'artistes (réalisateurs, mais aussi collaborateurs de création, scénaristes, techniciens, acteurs) ;

– un support éditorial permettant de faire connaître les positions du groupe (revue, livre, film à portée théorique) ;

– une stratégie promotionnelle, donc des véhicules de cette stratégie – presse, médias radiophoniques ou télévisuels ;

– un leader (la forte personnalité du groupe) et/ou un théoricien (le « pape » du mouvement) ;

– enfin, des adversaires, puisque toute école s'affirme contre ce qui l'a précédé ou lui coexiste.

Il va de soi que la réunion de tous ces paramètres est rarement mobilisée dans la pratique. Leur coprésence détermine la solidité et la cohérence de l'école en question. De ce point de vue, nous entendons démontrer que, contrairement au discours de certains de ses protagonistes, **la Nouvelle Vague est l'une des écoles les plus affirmées et les plus cohérentes de l'histoire du cinéma**.

À la fin de son *Essai sur le jeune cinéma français*, André S. Labarthe offre une « table des repères » qui est une sorte de généalogie du mouvement. Cette table a connu une grande fortune critique puisqu'on la retrouve deux ans plus tard, développée et complétée dans un célèbre numéro des *Cahiers du cinéma*, intitulé « Nouvelle Vague » (le fameux n° 138, affichant en couverture les deux héroïnes d'*Adieu Philippine* en maillot de bain, saluant spectateurs et lecteurs). La reprise de cette table est la première d'une longue liste : toutes les histoires et tous les bilans du nouveau cinéma des années 1950-1960 offriront des variantes de cette liste de repères. En voici la reproduction exhaustive (version Labarthe 1960) :

Table des repères

1948	Alexandre Astruc : « La caméra stylo » (*Écran français*, n° 144).
1949	Création d'« Objectif 49 ». Premier festival du Film maudit de Biarritz.
1950	André Bazin : *Orson Welles*.
1951	Premier numéro des *Cahiers du cinéma*.
1952	*Le Rideau cramoisi* (Alexandre Astruc).
1954	Début des positions critiques de l'équipe des *Cahiers du cinéma* et de François Truffaut dans *Arts*.
	Cahiers n° 31 : F. Truffaut : « Une certaine tendance du cinéma français. »
	J. Rivette : « L'Âge des metteurs en scène. »
	A. Bazin : « Cinémascope, fin du montage. »
1955	Production indépendante : *La Pointe courte* (Agnès Varda).
1956	Influence du cinéma américain : *Et Dieu créa la femme* (Roger Vadim).
1957	*Cahiers du cinéma* n° 70 : « De la politique des auteurs » (André Bazin).
	Cahiers du cinéma n° 71 : « Six personnages en quête d'auteurs » (Bazin, Doniol-Valcroze, Leenhardt, Rivette, Rohmer).
1958-1959	Éclosion de la Nouvelle Vague.

Récapitulation des influences :

	– Néoréalisme ;
	– Film documentaire ;
	– Cinéma américain ;
	– Télévision.

(Source : *Essai sur le jeune cinéma français*, p. 41.)

• *Que nous présente cette liste ?*

– Un point de départ, une date : **1948** et un article critique, le (fameux) manifeste de « la caméra stylo ». L'article est le premier d'une série de textes imprimés qui relie la monographie critique d'André Bazin consacrée à *Orson Welles*, le n° 1, puis les n°s 31 et 71 des *Cahiers du cinéma* et les critiques de Truffaut dans *Arts*.

– Une liste de films : d'abord *La Pointe courte* d'Agnès Varda (1954), puis *Et Dieu créa la femme* (1956, retenu pour l'influence du cinéma américain) ; jusqu'à 1958-1959 éclosion de la Nouvelle Vague. Ici Labarthe ne cite pas de filins, mais son essai est fondé sur l'analyse des films suivants : *Moi, un Noir, Hiroshima mon amour, La Tête contre les murs, Le Beau Serge, Lettres de Sibérie*.

– Enfin, la liste énumère un club, « Objectif 49 », et un festival, celui du Film maudit de Biarritz (l'anti-Festival de Cannes, en 1949).

Cette généalogie est partiellement discutable mais elle a pour elle la force de la tradition. Nous allons nous appuyer sur ces quelques repères afin de définir le corps de concepts critiques qui peuvent permettre une première approche de la Nouvelle Vague.

2. Le manifeste d'Alexandre Astruc

Ce texte, « Naissance d'une nouvelle avant-garde : la caméra stylo », paru dans *L'Écran français* du 30 mars 1948 (n° 144), est loin d'être le premier article de l'auteur, journaliste et chroniqueur littéraire, théâtral et cinématographique dans les principales revues intellectuelles de la Libération, depuis 1945. Alexandre Astruc a préalablement écrit sur Jean Delannoy, Henri-Georges Clouzot, André Malraux, René Clair, Robert Bresson, sur la crise du scénario français, et bien sûr sur Orson Welles, qui est son cinéaste de référence.

Si Labarthe a choisi ce texte parmi les trente qu'Astruc consacre au cinéma dans cette période, c'est qu'on y trouve plusieurs idées que François Truffaut et l'école des *Cahiers* reprendront à une plus vaste échelle. Pour Astruc, il s'agit de démontrer que le **cinéma** est en train de devenir **un nouveau moyen d'expression**, au même titre que la peinture ou le roman :

> « Après avoir été successivement une attraction foraine, un divertissement analogue au théâtre de boulevard, ou un moyen de conserver les

> images de l'époque, il devient un langage. Un langage, c'est-à-dire une forme dans laquelle et par laquelle un artiste peut exprimer sa pensée, aussi abstraite soit-elle, ou traduire ses obsessions exactement comme il en est aujourd'hui de l'essai ou du roman. C'est pourquoi j'appelle ce nouvel âge du cinéma celui de la *caméra-stylo.* » (A. Astruc, *L'Écran français*, n° 144.)

Astruc estime que, jusqu'en 1948, le cinéma n'a été qu'un spectacle ; que, antérieurement, à l'époque du muet, il a été trop prisonnier de la tyrannie du visuel et que, avec le parlant, il est devenu du théâtre filmé. Il affirme qu'il existe *des* cinémas comme il y a *des* littératures, car « le cinéma comme la littérature, avant d'être un art particulier, est un langage qui peut exprimer n'importe quel secteur de la pensée ». Pour lui, l'expression de la pensée est le problème fondamental du cinéma et il renvoie au projet de Jacques Feyder qui a voulu adapter *L'Esprit de lois* de Montesquieu comme à celui d'Eisenstein qui essaiera d'adapter *Le Capital* de Marx. Ces deux projets seront souvent cités par la suite.

Le film est défini de manière strictement formelle, comme « film en mouvement », se déroulant dans le temps, « c'est un théorème, le lieu de passage d'une logique implacable, qui va d'un bout à l'autre d'elle-même, ou mieux encore d'une dialectique ». Cette définition du film théorème est reprise par Jean-Luc Godard (comme plus tard Pier Paolo Pasolini) dans la critique qu'il consacrera plus tard au film d'Astruc, *Une vie* (1958), dont nous citons ici un fragment :

> « *Une vie* est un film prodigieusement construit. Employons donc pour illustrer notre propos des images empruntées à la géométrie classique. Un film peut se comparer à un lieu géométrique, c'est-à-dire à un ensemble de points jouissant d'une même propriété par rapport à un élément fixe. Cet ensemble de points, si l'on veut, c'est la mise en scène ; et cette même propriété commune à chaque instant de la mise en scène, ce sera donc le scénario ou, si l'on préfère, l'argument dramatique. Reste alors l'élément fixe, ou même mobile éventuellement, et qui n'est autre que le sujet » (*Cahiers du cinéma*, n° 89, novembre 1958).

En 1948, cette définition du cinéma proposée par Alexandre Astruc est à la fois très ambitieuse et abstraite. Elle ne se réfère jamais au contenu thématique des films, ce qui est l'approche dominante dans la critique de l'époque. Lorsque Astruc écrit, dans les colonnes de *L'Écran français*, journal issu des *Lettres françaises* clandestines, qu'« entre le cinéma pur des années 1920 et le théâtre filmé, il y a tout de même la place d'un cinéma qui *dégage* », le choix du verbe n'est pas innocent et s'oppose aux théories de l'art *engagé* cher à Jean-Paul Sartre, ainsi qu'à la rédaction en chef de l'hebdomadaire.

Astruc s'en prend aussi aux scénaristes et adaptateurs qui « font subir un traitement insensé à Balzac et Dostoïevski », qui deviennent l'un une collection de gravures, l'autre quelque chose qui ressemble à un roman de Joseph Kessel. Il en conclut, quelques années avant François Truffaut, que le scénariste doit lui-même réaliser son film, car « dans un tel cinéma, cette distinction de l'auteur et du réalisateur n'a plus aucun sens ». La mise en scène n'est plus un moyen d'illustrer ou de présenter une scène, mais une véritable écriture : « L'auteur écrit avec sa caméra, comme un écrivain écrit avec un stylo. »

L'article est important et prophétique dans sa conclusion : « Ces œuvres viendront, elles verront le jour. » Il est important aussi parce que c'est l'une des premières affirmations de la notion d'*auteur de film* et qu'il réfute les contraintes d'un cinéma spectacle, trop soumis aux impératifs de la séduction du grand public.

Les thèses d'Astruc sont loin d'être majoritaires dans la revue. Elles suscitent des polémiques qui s'accentueront jusqu'à la mort du journal en 1951. Mais elles connaîtront une spectaculaire renaissance dans les colonnes de *La Revue du cinéma* de Jean George Auriol d'abord (1946-1949), puis dans les *Cahiers du cinéma* (à partir de 1951).

3. Le pamphlet de François Truffaut

François Truffaut, avec son article polémique « Une certaine tendance du cinéma français », publié en 1954 dans le n° 31 des *Cahiers du cinéma* va donner une tout autre ampleur à cette prise de position théorique. On sait aujourd'hui, notamment grâce aux recherches de l'historien des *Cahiers du cinéma* Antoine de Baecque, que la publication de ce pamphlet a suscité de nombreuses résistances au sein de la revue, notamment de la part de la rédaction en chef (Doniol-Valcroze et Bazin) ; mais ces résistances confirment bien qu'il s'agit là du véritable point de départ de la « politique des auteurs », et donc des thèses fondatrices de l'esthétique de la Nouvelle Vague.

Ces résistances ont plusieurs causes : l'aspect très violemment polémique du texte du jeune critique, le fait qu'il s'attaque à des réalisateurs très largement estimés par le consensus critique de l'époque, et pour certains, au sein même des *Cahiers du cinéma*. André Bazin et Doniol-Valcroze, rédacteurs en chef, tous deux chrétiens de gauche, l'un catholique, l'autre d'origine protestante, sont des admirateurs de René Clément et de certains films d'Autant-Lara. Pierre Kast, qui a participé très jeune à la Résistance et demeure alors très engagé à gauche, n'apprécie pas du tout ce pamphlet proche des thèses des « hussards » de la nouvelle droite. On aurait tort de simplifier ces positions politiques qui évoluent tout au long des années 1950, mais l'image de marque du courant « hitchcoko-hawksien » classé plutôt à droite, a joué un rôle décisif dans les très violentes attaques qu'ont dû subir les auteurs des premiers longs métrages de la Nouvelle Vague de la part de la critique alors très massivement dominée par l'extrême gauche surréalisante (tendance *Positif*, voir plus loin les témoignages de Borde et Benayoun) et le marxisme sous toutes ses facettes.

L'article est d'abord un long réquisitoire contre le cinéma français dit de la « tradition de qualité ». L'auteur n'entend pas s'intéresser au tout-venant de la production commerciale mais à la petite douzaine de films ambitieux qui sont régulièrement récompensés dans les festivals, films réalisés par Jean Delannoy, Claude Autant-Lara ou René Clément (voir chapitre 1) :

> « Ces dix ou douze films constituent ce que l'on a joliment appelé la *tradition de la qualité*, ils forcent par leur ambition l'admiration de la presse étrangère, défendent deux fois l'an les couleurs de la France à Cannes et à Venise où, depuis 1946, ils raflent régulièrement médailles, Lions d'or, et Grands prix...
> La guerre et l'après-guerre ont renouvelé notre cinéma. Il a évolué sous l'effet d'une pression interne, et au réalisme poétique – dont on peut dire qu'il mourut en refermant derrière lui *Les Portes de la nuit* – s'est substitué le *réalisme psychologique*, illustré par Claude Autant-Lara, Jean Delannoy, René Clément, Yves Allégret et Marcel Pagliero. » (*Cahiers du cinéma*, n° 31, 1954.)

Or, ces films du « réalisme psychologique » sont pour la plupart des adaptations littéraires de romans classiques ou contemporains et ils doivent une grande partie de leur prestige à cette origine.

Le texte de Truffaut est une attaque en règle contre le travail de certains adaptateurs scénaristes, au premier rang desquels figurent Jean Aurenche et Pierre Bost :

> « Nul n'ignore plus aujourd'hui qu'Aurenche et Bost ont réhabilité l'adaptation en bouleversant l'idée que l'on en avait, et qu'au vieux préjugé du respect à la lettre ils ont substitué, dit-on, celui contraire du respect à l'esprit, au point qu'on en vienne à écrire cet audacieux

aphorisme : "une adaptation honnête est une trahison" (Carlo Rim, *Travelling et Sex-appeal*). » (*Ibid.*)

Truffaut critique dans la pratique d'adaptation d'Aurenche et de Bost la recherche d'équivalences entre procédés littéraires et procédés cinématographiques. La plupart du temps, il y a pour lui trahison de l'esprit de l'auteur, par substitution d'un discours propre aux scénaristes dialoguistes. Truffaut reproche de plus aux adaptateurs d'introduire par contrebande des thèmes anarchisants et anticléricaux dans des œuvres romanesques très diverses et fort loin de cet univers :

> « On aura remarqué la profonde diversité d'inspiration des œuvres et des auteurs adaptés. Pour accomplir ce tour de force qui consiste à rester fidèle à l'esprit de Michel Davet, Gide, Radiguet, Quéffelec, François Boyer, Colette et Bernanos, il faut posséder soi-même, j'imagine, une souplesse d'esprit, une personnalité démultipliée peu commune ainsi qu'un singulier éclectisme. »

Truffaut appuie sa démonstration sur une confrontation de l'adaptation non réalisée du *Journal d'un curé de campagne* par Jean Aurenche, que le scénariste (Aurenche lui-même) lui avait aimablement confiée, et celle que met en scène Robert Bresson en 1951, selon Truffaut beaucoup plus fidèle à l'univers de Georges Bernanos. Pour cela, il cite textuellement un dialogue original du scénario de Jean Aurenche, celui de la scène du confessionnal marqué par la confrontation entre le curé et Chantal, l'héroïne féminine. Ayant estimé que le récit de Bernanos était « intournable », Aurenche lui a substitué une séquence qui montre Chantal racontant au prêtre qu'elle a craché l'hostie de la communion dans le missel. Il reproche également à Aurenche d'avoir totalement trahi Bernanos en déplaçant une phrase située au centre du livre : « Quand on est mort tout est mort », pour en faire la dernière réplique du film alors que le texte original se terminait par : « Qu'est-ce que cela fait, tout est grâce. »

Truffaut en conclut qu'il ressort de cette adaptation : 1. Un souci d'infidélité à l'esprit comme à la lettre constant et délibéré ; 2. Un goût très marqué pour la profanation et le blasphème. Il reproche plus encore à cet anticléricalisme d'être hypocrite, car les films en question ne sont pas franchement anticléricaux, « les soutanes étant à la mode » :

> « Mais comme il convient – pensent-ils – de ne point trahir leurs convictions, le thème de la profanation et du blasphème, les dialogues à double entente viennent çà et là prouver aux copains que l'on sait l'art de "rouler le producteur" tout en lui donnant satisfaction, rouler aussi

> le "grand public" également satisfait. Ce procédé mérite assez bien le nom d'*alibisme*. »

Pour Truffaut, Aurenche et Bost sont essentiellement des *littérateurs* et il leur adresse le reproche suprême : mépriser le cinéma en le sous-estimant. « Ils se comportent vis-à-vis du scénario comme l'on croit rééduquer un délinquant en lui trouvant du travail, ils croient toujours avoir "fait le maximum" pour lui en le parant des subtilités, de cette science des nuances qui font le mince mérite des romans modernes. » Selon Truffaut, une adaptation valable ne peut être écrite que par un *homme de cinéma*.

4. Les théories de l'adaptation

4.1 Un exemple : *Le Diable au corps*, transposé par Aurenche, Bost et Autant-Lara

Ces thèses du jeune critique pamphlétaire peuvent être évaluées en comparant les premières pages du *Diable au corps* de Raymond Radiguet (écrit à la fin de la guerre de 1914-1918 et publié en 1923) et l'adaptation de Aurenche et Bost filmée par Claude Autant-Lara en 1946. Truffaut ne fait qu'esquisser cette comparaison dans son article. Il est intéressant de se reporter plus précisément au texte du livre et au film lui-même. Rappelons que celui-ci obtint le Grand Prix de la critique internationale au festival du Film et des Beaux-Arts de Bruxelles (juin 1947), et qu'il demeure l'un des plus grands succès, tant critique que public, de l'époque qui a immédiatement suivi la Libération.

Dans le court roman de Radiguet écrit à la première personne par le jeune narrateur, celui-ci rencontre pour la première fois Marthe, l'héroïne, lorsqu'elle descend d'un train, sur un quai de gare :

> « Quand le train entra en gare, Marthe était debout sur le marchepied du wagon. "Attends bien que le train s'arrête", lui cria sa mère... Cette imprudence me charma. Sa robe, son chapeau, très simples, prouvaient son peu d'estime pour l'opinion des inconnus » (coll. « Livre de poche » n° 119, p. 30).

Aurenche et Bost transportent l'action dans la cour d'un lycée transformée en hôpital militaire. Marthe est aide-infirmière volontaire et assiste les grands blessés qui arrivent du front. Cette transposition des lieux permet aux auteurs d'introduire un réquisitoire très violent contre l'autorité éducative, militaire et médicale d'une part, et contre le matriarcat d'autre part (le professeur est un chien de garde, le médecin militaire est une brute sadique, la belle-mère de Marthe est une harpie). On voit donc par ces quelques détails comment les adaptateurs introduisent, par leur transposition, un certain nombre de thèses totalement absentes du roman initial dont l'antimilitarisme pourtant réel est signifié d'une tout autre manière, plus subtile. « Quel est le but de cette équivalence ? (entre quai de gare et école transformée en hôpital) – se demande Truffaut – Permettre aux scénaristes d'amorcer les éléments antimilitaristes ajoutés à l'œuvre, de concert avec Autant-Lara. Or il est évident que l'idée de Radiguet était une idée de mise en scène, alors que la scène inventée par Aurenche et Bost est littéraire. »

Enfin, François Truffaut défend l'idée qu'il est impossible d'apprécier à la fois ces cinéastes de la tradition de qualité comme Claude Autant-Lara, Jean Delannoy, René Clément, Yves Allégret, et ceux qu'il nomme les « auteurs » c'est-à-dire Jean Renoir, Max Ophuls, Jacques Becker, Robert Bresson, car il ne croit pas à la « coexistence pacifique de la *tradition de la qualité* et d'un *cinéma d'auteurs* ». L'opposition essentielle établie par le jeune critique entre ces deux catégories antagonistes repose dans l'attitude des auteurs vis-à-vis des personnages : point de vue de la toute-puissance pour les premiers, dans lesquels les protagonistes ne sont que des pantins manipulés par le cinéaste – « dans les films "réalistes psychologiques" il n'y a que des êtres vils, mais tant se veut démesurée la supériorité des auteurs sur leurs personnages que ceux qui d'aventure ne sont pas infâmes, sont au mieux infiniment grotesques » ; attitude de respect chez les auteurs admirés par Truffaut qui généralise le principe cher à Jean Renoir, selon lequel « tout le monde a ses raisons » :

> « Ces personnages abjects, qui prononcent des phrases abjectes, je connais une poignée d'hommes en France qui seraient incapables de les concevoir, quelques cinéastes dont la vision du monde est au moins aussi valable que celle d'Aurenche et Bost, Sigurd et Jeanson. Il s'agit de Jean Renoir, Robert Bresson, Jean Cocteau, Jacques Becker, Abel Gance, Max Ophuls, Jacques Tati, Roger Leenhardt ; ce sont pourtant des cinéastes français et il se trouve – curieuse coïncidence – que ce sont des auteurs qui écrivent souvent leur dialogue et quelques-uns inventent eux-mêmes les histoires qu'ils mettent en scène. »

4.2 Une autre pratique de l'adaptation par Alexandre Astruc : *Une vie*, de Maupassant

Après l'échec de l'exploitation commerciale de son premier long métrage *Les Mauvaises Rencontres* (1955), Alexandre Astruc écrit un scénario original avec la jeune romancière Françoise Sagan, intitulé *La Plaie et le couteau*. Pour interpréter le rôle féminin principal, le réalisateur pensait à l'actrice Maria Schell, dont il avait apprécié la performance dans *Gervaise*, adaptation d'Émile Zola par René Clément. C'est la productrice de ce dernier film, Annie Dorfmann, qui, tout en aidant Astruc à obtenir l'accord de Maria Schell, lui suggère de relire *Une vie* de Maupassant et d'abandonner son scénario original. Il s'agit des conditions mêmes, presque caricaturalement, qui déterminent à l'époque la production des films de la *tradition de la qualité* : le désir d'une productrice, une star internationale, un romancier du xixe siècle, dont l'œuvre est un réservoir de scénarios depuis les débuts du cinéma français d'« inspiration littéraire ». Astruc accepte le pari et adapte Maupassant avec son ami Roland Laudenbach, l'un des scénaristes attaqués par Truffaut dans son réquisitoire.

Mais Alexandre Astruc est un auteur, un « homme de cinéma ». Il s'approprie totalement le roman initial, éliminant toute trace de naturalisme pour transformer le texte en une

> « histoire d'amour et de mort où deux êtres se déchiraient sur fond de landes et de falaises, un hymne quasi mystique à la nature, et à ses profondeurs telluriques, un poème à la Giono, où la folie rôdait au détour d'un chemin de rocaille. Je n'avais pas le sentiment de trahir Maupassant : à ma façon, je l'appréhendais. Laissant de côté la description des petites gens qui avait fait son succès, je ne m'intéressais qu'à l'ivresse de la chair conquise qui, comme dans *Le Horla*, avait peu à peu poussé Maupassant à la folie » (Alexandre Astruc, *Le Montreur d'ombres*, p. 136).

Le résultat apparaît à l'écran. Tout en respectant la trame narrative du roman original, Astruc le met en scène d'une manière totalement personnelle, jouant sur l'inscription du corps des acteurs dans l'espace naturel des falaises du Cotentin, où il tourne son film en extérieurs au cours d'un automne rigoureux. Il tyrannise ses acteurs afin de les débarrasser de tous tics de la dramaturgie psychologisante qui domine le jeu des comédiens habituels du cinéma littéraire des années 1950. Christian Marquand interprète Julien, le mari brutal de l'héroïne sentimentale, mais pourtant Astruc ne le caricature jamais. Julien est un homme des bois peu loquace et désargenté qui s'intéresse d'abord à la chasse. Il demeure aveugle aux épanchements sentimentaux de sa jeune épouse et la mise en scène du cinéaste décrit l'absence de communication affective entre les deux personnages : « J'avais réussi, travaillant sur un sujet qui n'était pas de moi, avec une équipe qui m'était hostile, et une vedette qui ne m'avait obéi que contrainte et forcée, à glisser là toutes mes obsessions : mon "misogynisme" de toujours, mon érotisme un peu enfantin, mais aussi mes élans vers le lyrisme, l'attrait qu'exerçaient sur moi les grands espaces, mon goût inné de la grandeur et de la beauté. En un mot comme en mille, Maria Schell ou non, j'avais fait, comme devait le dire plus tard Jacques Siclier, ce qu'il y a de plus précieux au monde : un "film d'auteur" (A. Astruc, *op. cit.*). Comme nous l'avons vu auparavant, le critique Jean-Luc Godard ne s'y est pas trompé. Le découpage d'*Une vie* relève d'une écriture moderne sans équivalent dans la production française de l'année 1958 : il suffit de revoir les premiers plans généraux du film, la course de l'héroïne à travers les dunes, la robe jaune de sa servante, Rosalie (Pascale Petit), pour le vérifier. Il en est de même du magistral plan-séquence en plongée qui décrit la première rencontre des deux futurs époux sur la digue du port, où l'homme est aux aguets : « Montrer qu'un homme des bois et une femme d'intérieur qui s'aiment, c'est de la folie », comme l'écrivait Godard.

5. Les « unes » de la revue *Arts*

Les thèses de Truffaut susciteront des débats passionnés au sein de la critique spécialisée, comme dans les pages des *Cahiers du cinéma*. Sa série d'articles, publiée dans l'hebdomadaire *Arts* à partir de 1955, aura une tout autre audience en raison du tirage de ce périodique, beaucoup moins confidentiel qu'un mensuel de critique de film très spécialisé. Cette audience trouvera son apogée dans le numéro du 15 mai 1957 publié à l'occasion du Festival de Cannes de cette année. Il s'agit d'un numéro spécial doté d'un certain sens du sensationnel « qui dit sévèrement toute la vérité sur les hommes et les méthodes du cinéma français ». Le titre est à lui seul tout un programme : « Vous êtes tous témoins dans ce procès : le cinéma français crève sous les fausses légendes », et l'article s'étale à la une du journal sur six colonnes.

Les thèses de Truffaut sont les suivantes :

– l'argument du contrôle des sujets de film, invoqué par les cinéastes, n'est qu'un prétexte pour justifier leur lâcheté ;

– la crise du cinéma n'est qu'une crise du courage, donc de la virilité *(sic)* ;

– on peut faire un excellent film avec un budget très faible, de l'ordre de 5 millions de centimes en 1957 ;

– un réalisateur comme Roberto Rossellini, « Bernard Palissy du cinéma », démontre par sa pratique que le risque paie ;

– le gros cachet offert à Brigitte Bardot n'a rien de scandaleux, elle le mérite ;

– il y a trop de clins d'œil et de second degré dans le cinéma dit « intelligent » (nous citons ici littéralement Truffaut) ;

– il n'y a pas de mauvais films, il y a seulement des réalisateurs médiocres ;

– les films de demain seront tournés par des aventuriers.

Il y a dans ces slogans une grande part de provocation que le critique utilise avec un brio indéniable. De nombreux cinéastes reconnus ne lui pardonneront jamais ce discours iconoclaste. Truffaut sous-estime volontairement la censure et plus encore la précensure des scénarios qui empêche tout cinéaste d'évoquer les guerres coloniales alors que la société française de la période est influencée quotidiennement par celles-ci. Le courage assimilé à la virilité se passe de commentaire, comme la justification du cachet de Brigitte Bardot relève de l'insolence polémique. Mais on retrouve l'argument de l'hostilité aux gros budgets qui entravent la liberté de création : ce sera l'un des credo de base de la morale Nouvelle Vague, et Truffaut est d'une certaine manière clairvoyant en indiquant que les films de demain seront tournés par des aventuriers.

6. La politique des auteurs

La polémique inaugurée par Truffaut dès 1954 n'est que le tremplin de l'affirmation d'une politique qu'il va définir avec le soutien de quelques autres critiques dans les années suivantes (Godard, Rohmer, Rivette). Il s'agit de la politique des auteurs dont on attribue, quelquefois bien à tort, la paternité à André Bazin, au contraire très réservé vis-à-vis de ces « jeunes Turcs », comme furent vite surnommés ces critiques par la rédaction en chef des *Cahiers du cinéma* (Bazin et Doniol-Valcroze).

Truffaut affiche même cette politique dans une critique consacrée à un film commercial assez impersonnel de Jacques Becker, *Ali Baba et les quarante voleurs*, coproduit par sa vedette Fernandel. Ses thèses sont les suivantes :

1. Il n'y a qu'un seul auteur de film et celui-ci est le metteur en scène. Toute paternité créatrice est niée au scénariste qui ne fait que fournir la matière première à l'auteur.

2. Cette politique est très sélective, fondée sur des partis pris et des jugements de valeur. Certains réalisateurs sont des auteurs : Renoir, Bresson, Ophuls, etc. D'autres ne seront jamais considérés comme tels, même s'ils réussissent un film, comme par exemple, Autant-Lara avec *La Traversée de Paris*, film pourtant très apprécié de Truffaut critique.

3. « Il n'y a pas d'œuvres, il n'y a que des auteurs. » Cet aphorisme de Giraudoux permet à Truffaut d'estimer qu'un film raté d'un auteur, tel *Ali Baba* de Jacques Becker, sera toujours plus intéressant qu'un film apparemment réussi d'un « réalisateur » comme *Monsieur Ripois* de René Clément, par exemple.

Cette politique est donc volontiers provocatrice et paradoxale. Elle nie le caractère collectif de tout processus de création cinématographique. Elle considère comme secondaire le niveau scénaristique. Seule *la mise en scène*, définie comme regard de l'auteur, est prise en compte. Pour Truffaut, il s'agit de s'opposer avec violence aux critiques qui méprisent alors « pour cause de vieillissement stérilisateur voire de gâtisme, les dernières œuvres d'Abel Gance, Fritz Lang, Hitchcock, Hawks, Rossellini et même Jean Renoir en son hollywoodienne période ». Et Truffaut d'affirmer : « En dépit de son scénario trituré par dix ou douze personnes, dix ou douze personnes de trop excepté Becker, *Ali Baba* est le film d'un auteur, un auteur parvenu à une maîtrise exceptionnelle, un auteur de films. » (*Cahiers du cinéma* n° 44, février 1955.)

Dans ce même numéro de la revue, précédant un long entretien au magnétophone avec Alfred Hitchcock interrogé par Truffaut et Chabrol, nouvelle pratique que les *Cahiers* viennent d'inaugurer avec Becker, André Bazin tient à préciser la position de la rédaction en chef vis-à-vis des outrances de ce qu'il nomme les « jeunes Turcs » et dont il donne la liste (Schérer – patronyme réel de Rohmer –, Truffaut, Rivette, Chabrol et Lachenay – pseudonyme de François Truffaut qui est donc cité deux fois). Il pose la question « Comment peut-on être "hitchcocko-hawksien?" », car il n'a jamais partagé l'enthousiasme des jeunes critiques pour le réalisateur de *Rebecca* et déclare nettement préférer le Hawks de *Scarface* à celui des *Hommes préfèrent les blondes* : « Je déplore pour ma part, comme beaucoup d'autres, la stérilisation idéologique de Hollywood, sa timidité croissante à traiter avec liberté de "grands sujets". » Mais Bazin se fait aussi l'avocat des prises de position des jeunes critiques au nom de leur compétence analytique parce qu'ils ont vu au moins cinq ou six fois les films dont ils parlent et plus encore parce qu'« ils ont le refus vigilant de ne jamais *réduire* le cinéma à ce qu'il exprime ». Bazin affirme ici clairement qu'évaluer un film ne peut se faire seulement en tenant compte de son scénario et de sa thématique : « Mais s'ils prisent à ce point la mise en scène, c'est qu'ils y discernent dans une large mesure la matière même du film, une organisation des êtres et des choses qui est à elle-même son sens, je veux dire aussi bien morale qu'esthétique... Toute technique renvoie à une métaphysique. » La formule va connaître une certaine fortune, reprise par Jean-Luc Godard, Jacques Rivette, Luc Moullet, jusqu'à devenir un poncif de la critique journalistique actuelle. Bazin souligne ici très clairement qu'un film doit être apprécié à partir des éléments formels qu'il mobilise, de la « matière du signifiant », comme l'aurait dit un sémiologue des années 1960, et non à partir de son projet thématique et moins encore des intentions de l'auteur.

Le thème de la « technique qui renvoie à une métaphysique » est développé par Godard dans une table ronde des *Cahiers du cinéma* consacrée à *Hiroshima mon amour* (n° 97, juillet 1959, p. 5) avec sa célèbre formule « les travellings sont affaire de morale » : « Il y a une chose qui me gêne un peu dans *Hiroshima*, et qui m'avait également gêné dans *Nuit et Brouillard*, c'est qu'il y a une certaine facilité à montrer des scènes d'horreur, car on est vite au-delà de l'esthétique » (Godard, p. 11).

C'est ensuite au tour de Jacques Rivette, dans un article intitulé « De l'abjection » et consacré au film de Gillo Pontecorvo *Kapo* (1960), de reprendre et de développer la même idée, à la base de la doctrine critique de Serge Daney quelque vingt ans plus tard : « Voyez cependant, dans *Kapo*, le plan où Riva se suicide, en se jetant sur les barbelés électrifiés ; l'homme qui décide, à ce moment, de faire un travelling avant pour recadrer le cadavre en contre-plongée, en prenant soin d'inscrire exactement la main levée dans un angle de son cadrage final, cet homme n'a droit qu'au plus profond mépris » (J. Rivette, *Cahiers du cinéma* n° 120, juin 1961, p. 54). Cette problématique morale revient toutes les fois que le cinéma aborde des sujets aussi graves que l'extermination des juifs par les nazis, par exemple lorsque Steven Spielberg adapte le livre de Thomas Keneally *La Liste de Schindler* (1993) avec des moyens très spectaculaires qui lui permettent de reconstituer en studio et en cinémascope le camp d'Auschwitz.

7. Le modèle américain

La doctrine critique des *Cahiers du cinéma* est également fondée sur l'idée de filiation et d'héritage dans l'histoire des formes esthétiques. Godard a maintes fois affirmé qu'il appartenait à la génération de cinéastes qui, pour la première fois, avaient une connaissance approfondie de l'histoire du cinéma et de ses grands auteurs. Cette affirmation est un peu abusive, car, dès 1916-1918, le cinéma français a connu une génération antérieure de cinéastes critiques qui ont également défini leur programme esthétique à partir de leur admiration pour certaines œuvres et certains auteurs : le cinéma américain et le cinéma scandinave, les cinéastes Thomas Ince et Victor Sjöström, par exemple. Henri Langlois a d'ailleurs utilisé l'expression « première vague » pour désigner l'école critique qui entourait Louis Delluc avec des auteurs comme Germaine Dulac, Jean Epstein et Abel Gance. C'est une manière d'indiquer que la Nouvelle Vague n'était pas la première. Cette admiration portée au cinéma américain est donc une ancienne tradition de la critique française, mais l'école des *Cahiers* va lui redonner un dynamisme remarquable, à contre-courant de la critique dominante dans les années 1950 qui privilégie les « grands auteurs » à messages sérieux, tels S. M. Eisenstein, Vittorio de Sica ou Cari Dreyer. Elle s'appuie d'ailleurs sur le culte du film de série B, c'est-à-dire du film à budget moyen, sans grande star, que les studios hollywoodiens produisent en grand nombre pendant cette période.

Jean-Pierre Melville n'a pas été critique de films, mais sa passion érudite pour le film policier américain est à l'époque déjà légendaire et il exerce une réelle influence dès le début des années 1950 dans ce processus de découverte des « petits maîtres de la série B » par les jeunes critiques Truffaut et Godard. Ce culte est particulièrement repérable dans *Bob le flambeur*, que Melville réalise avec de modestes moyens en 1955. Le scénario original est de l'auteur, qui adapte son récit avec Auguste Le Breton, également dialoguiste ; mais Melville est aussi décorateur et directeur de production pour un film qu'il coproduit avec sa firme – les productions Jenner – dans les studios du même nom. C'est la voix de l'auteur qui introduit son récit, décrivant Pigalle et Montmartre au petit matin : « Voici telle qu'on vous la racontera à Montmartre la très curieuse histoire de... », la phrase s'interrompt au moment où apparaît le titre écrit (sur un thème de jazz à la trompette) mais la voix reprend sur un ton mi-documentaire, mi-ironique désignant « cette femme de ménage très en retard et cette toute jeune fille... très en avance pour son âge ». Bob, truand fatigué qu'interprète avec nonchalance Roger Duchesne, apparaît jouant au poker avec quelques acolytes au fond d'une boîte de nuit. Ce qui frappe, dans ce début de film, c'est la forte influence du modèle américain, perceptible par la présence des marins qui courtisent les filles (l'un d'eux embarque la jeune fille sur sa moto : « *Come on baby...* une petite promenade sur la moto »), l'éclairage typique du film noir des années 1950, les gestes de Bob avec son imperméable et son chapeau. Mais, comme dans certains films de Jules Dassin et de Robert Wise, le récit policier est fortement relié à une description des lieux réels de type documentaire. Melville prend le temps de décrire la place Pigalle, le ballet de l'arroseuse municipale qui nettoie les ordures nocturnes accompagnée d'une ritournelle à l'orgue de Barbarie, la rencontre entre le commissaire (Guy Decomble qui sera l'instituteur des *Quatre Cents Coups*) et Bob, le flambeur fatigué. Celui-ci observe son visage dans un miroir et commente en voix intérieure « une belle gueule de voyou » avant d'aller acheter les journaux du matin dans un kiosque. Tous ces éléments vont être littéralement repris par Godard quand il réalise *À bout de souffle* quatre ans plus tard. Mais Godard amplifie et explicite les références américaines en montrant le portrait d'Humphrey Bogart, en filmant les locaux du *New York Herald Tribune*, en citant des extraits de films lorsque ses protagonistes se rendent au cinéma le Mac Mahon et plus encore en dédiant son premier film à la Monogram Pictures (firme productrice de *Gun Crazy [Le Démon des armes]*, 1950, série B de Joseph H. Lewis, très admirée par le critique Godard).

François Truffaut avec *Tirez sur le pianiste* (1960) s'inscrit dans la même tradition, jouant sur la citation nostalgique et les ruptures de ton lorsqu'il adapte de manière très personnelle le roman de David Goodis.

8. La Nouvelle Vague, une « école artistique »

« Une école artistique regroupe des artistes d'une même tendance », telle est la définition minimale du dictionnaire. Reprenons les points définissant une école, tels que nous les avons énumérés précédemment :

– Le **corps doctrinal** critique de la Nouvelle Vague est constitué par la politique des auteurs telle que la définit le groupe des « hitchcocko-hawksiens ».

– Le **programme esthétique** créatif découlant de cette politique est celui du même groupe : faire des films personnels écrits et conçus par leur auteur.

– La **stratégie** est celle du petit budget et de l'autoproduction.

– Le **manifeste** est le texte de Truffaut « Une certaine tendance du cinéma français ».

– L'**ensemble des œuvres** répondant à ces critères sont les premiers films de Chabrol, Truffaut, Kast, Doniol-Valcroze, Godard, Rivette et Rohmer : *Le Beau Serge, Les Quatre Cents Coups, À bout de souffle, Paris nous appartient, Le Bel Âge, L'Eau à la bouche* et *Le Signe du lion*.

– Le **groupe d'artistes** est celui que nous venons d'énumérer. Il pose toutefois un problème de délimitation sur lequel nous allons revenir.

– Le **support éditorial,** c'est, bien sûr, les *Cahiers du cinéma*.

– La **stratégie promotionnelle** est conçue et mise en pratique par François Truffaut essentiellement dans les colonnes de l'hebdomadaire *Arts*. Cela fait de lui, incontestablement, le leader du groupe.

– Quant au **théoricien**, c'est André Bazin dont les articles paraissent, après sa mort en 1958, en quatre petits volumes sous le titre très programmatique *Qu'est-ce que le cinéma ?*

– Enfin les **adversaires** forment de gros bataillons. Ce sont, en premier chef, les cinéastes de la « qualité française » que Truffaut a nommément désignés. Ce sont aussi les scénaristes. Henri Jeanson et Michel Audiard ne vont pas se priver de voler au secours de Jean Aurenche et Pierre Bost. Ce sont les autres critiques, ceux des quotidiens et des hebdomadaires, mais aussi des mensuels spécialisés, très hostiles aux théories de l'équipe des *Cahiers*, comme *Positif* et *Premier Plan*. Ils vont déclencher, après l'effet de surprise du Festival de Cannes 1959, une contre-offensive d'une extrême violence qui va marquer toute la décennie suivante. On en trouve encore de nombreux effets, quelque vingt ou trente ans plus tard, dans les livres de Francis Courtade (*Les Malédictions du cinéma français*, Alain Moreau, 1978) ou de Freddy Buache (*Le Cinéma français des années 1960*, Hatier/Cinq Continents, 1987).

Depuis les années 1990, à chaque crise de la fréquentation, on sort du placard le spectre de la Nouvelle Vague qu'on rend coupable d'avoir fait fuir les spectateurs des salles de cinéma. La réhabilitation du cinéma de la qualité française a été entreprise par des réalisateurs des générations postérieures à la Nouvelle Vague. Bertrand Tavernier n'a pas hésité à demander à Jean Aurenche et à Pierre Bost de collaborer aux scénarios de ses films à partir de *L'Horloger de Saint-Paul* (1974). Les scénaristes et réalisateurs de l'école du café-théâtre, autour de Gérard Jugnot et Jean-Marie Poiré, sont massivement retournés aux mots d'auteurs et à l'ancienne division scénariste/dialoguiste/metteur en scène.

À la mort de François Truffaut en 1984, Claude Autant-Lara le poursuivra de sa haine par-delà sa tombe. Il n'est certainement pas le seul.

Un mode de production et de diffusion

1. Un concept économique : le film à petit budget, mythe ou réalité ?

On a souvent considéré que la Nouvelle Vague avait provoqué une rupture dans la pratique de production du cinéma français en favorisant les films à petit budget. Dans une industrie caractérisée par une spirale inflationniste, ce phénomène est suffisamment original pour être mis en avant. Cette notion de film à petit budget correspond-elle à la réalité des films considérés comme appartenant au mouvement ? Mais qu'est-ce, en 1959, qu'un « petit budget » ?

Le coût moyen d'un film passe de 109 millions d'anciens francs en 1955 à 149 millions en 1959. Cette année-là, au moment de l'émergence de la Nouvelle Vague, sur 133 films produits, 74 ont coûté plus de 100 millions et 33 dépassent les 200 millions. Il y a donc eu 26 films d'un budget inférieur à 100 millions, des « petits budgets », mais évidemment ce seul critère ne suffit pas à les transformer en films « Nouvelle Vague[1] ».

Ce critère budgétaire a pourtant été utilisé pour établir la généalogie du mouvement. Il concernait surtout des films « marginaux » produits hors du système commercial dominant.

2. Deux petits budgets « hors système »

Du point de vue du mode de production, deux titres se sont imposés comme références : *Le Silence de la mer* autoproduit par Jean-Pierre

---

1. On possède un article précieux datant de 1960 sur « Le système de production » de l'époque, voir H. C. Hagenthaler, *Esprit*, « Spécial cinéma français », juin 1960. Toutes les sommes que nous citons ici sont données en anciens francs. En 1960, 1 million = 10 000 francs (à peu près 1 500 euros).

Melville en 1947 et *La Pointe courte* d'Agnès Varda, sept années plus tard en 1954. Tous deux figurent évidemment dans le tableau des « repères chronologiques du nouveau cinéma » proposé par le numéro spécial « Nouvelle Vague » des *Cahiers du cinéma* (n° 138 de décembre 1962), qui est une version amplifiée du tableau de Labarthe.

Jean-Pierre Melville (pseudonyme de Jean-Pierre Grumbach, né en 1917) s'est d'ailleurs proclamé lui-même « inventeur de la Nouvelle Vague » (*Cinéma 60*, n° 46, mai 1960) et il la définit ainsi : « Un système de production artisanal, en décors naturels, sans vedettes, sans équipe minimum, avec une pellicule ultra rapide, sans à-valoir de distributeur, sans autorisation ni servitude d'aucune sorte. » Celui-ci produit et réalise dans ces conditions, dès 1945, un court métrage *Vingt-Quatre Heures de la vie d'un clown*, mais ce format n'implique pas de budget important. Melville est beaucoup plus audacieux en 1947 quand il se lance dans la production et la réalisation du *Silence de la mer*, sans l'autorisation de l'auteur, Vercors, donc sans avoir acheté les droits, et sans l'agrément du Centre national de la cinématographie. Le budget est minimal : 9 millions d'anciens francs (certaines sources indiquent même 6 millions) à un moment où le coût moyen d'un film français est de 50 à 60 millions. Aucun de ses collaborateurs n'a de carte professionnelle, ce qui va entraîner une très longue période de postproduction pour régulariser les opérations postérieures au tournage. Une première projection privée aura lieu en novembre 1948 et la sortie commerciale en avril 1949. Le film rencontre un réel succès d'estime critique et même public ; il démontre ainsi un fait nouveau qui mettra dix ans à s'imposer : un film à très petit budget (le dixième d'une production moyenne) peut avoir une réelle qualité esthétique et être une bonne affaire commerciale. L'exemple reste isolé, même si Melville réalise et produit encore lui-même en 1949 une nouvelle adaptation, cette fois-ci avec l'agrément de l'auteur, celle des *Parents terribles*, de Jean Cocteau. Mais le film est un échec public obligeant le réalisateur à accepter ensuite une commande, qu'il n'a ni écrite, ni adaptée, ni produite : *Quand tu liras cette lettre* (1953).

Le second exemple est encore plus atypique. Lorsqu'elle se lance dans l'aventure de la production de *La Pointe courte*, Agnès Varda, née en 1928, photographe au TNP, n'a que 26 ans. Son budget initial est de 12 millions, qu'elle réduit à 7, la réalisatrice, c'est-à-dire elle-même, les techniciens et les acteurs travaillant en coopérative (la société Ciné Tamaris) pendant quelques semaines sur les lieux mêmes de l'action, au village de La Pointe Courte, près de Sète, en extérieurs et intérieurs naturels.

> « Tamaris Films n'avait récolté pour produire qu'un quart des fonds nécessaires. D'où la proposition faite aux acteurs et aux techniciens de former une coopérative propriétaire de 35 % du film. Pratiquement cela voulait dire : personne n'était payé pendant le tournage. Il a fallu treize ans pour leur rembourser leur prêt de capital-travail. Le film ne s'est fait que grâce à la générosité de Silvia Monfort et de Philippe Noiret et à l'enthousiasme des jeunes techniciens, grâce surtout à Carlos Vilardebo, catalyseur de mes projets rêveurs et de mon désir de raconter la vie des pêcheurs de La Pointe courte et de leurs familles, que j'aimais vraiment » (Agnès Varda, entretien à la radio, cité dans *Varda par Agnès*, 1994).

Là encore, le film est réalisé totalement en dehors du circuit industriel, certes en 35 mm, mais sans autorisation de tournage puisqu'il n'est pas réalisé selon les règles fixées par le Centre national de la cinématographie. Il est donc considéré, au même titre qu'un film en 16 mm, comme un film d'amateur, et ne peut être exploité en circuit commercial. Aucun distributeur ne consent à le prendre. Deux années après sa réalisation en 1956, il reçoit toutefois l'accueil d'une salle de l'Association française des cinémas d'art, de répertoire et d'essai (AFCARE), le studio Parnasse, pour un succès d'estime pendant deux semaines d'exploitation. Mais de ce fait, la production ne peut rentrer dans ses frais. L'expérience de la production de *La Pointe courte* a le mérite de démontrer aux futurs réalisateurs l'importance décisive du distributeur. Il faut toutefois préciser que le film de Varda n'est pas le seul dans ce cas : quelques dizaines de longs métrages produits au sein ou en dehors du circuit industriel restent inédits pendant cette période des années 1950, phénomène sur lequel nous reviendrons lorsque nous aborderons la distribution des films de la Nouvelle Vague.

La leçon du film à petit budget que veulent apporter ces deux réalisateurs n'est pas suffisamment concluante. Melville doit se résigner à accepter une commande impersonnelle après le premier échec. Agnès Varda ne peut même pas présenter son film à l'aide sélective, car il a été produit en dehors du système ; elle va alors réaliser une série de courts métrages avant de pouvoir revenir au long métrage huit ans plus tard, après les succès des années 1959-1960, avec les films de Chabrol, Truffaut et Godard. Le mythe du film à petit budget susceptible d'être très rentable ne prendra corps que lorsque plusieurs titres consécutifs connaîtront un grand succès commercial, et ce phénomène n'intervient qu'au printemps 1959 pour ne durer que deux saisons.

3. Une bonne santé économique

À la fin des années 1950, le cinéma français connaît une très bonne santé économique. Le secteur de la production est globalement bénéficiaire de 1 298 millions pour un coût de production de 7 415 millions, selon les estimations de Jacques Ploquin, d'après une enquête de l'Expertise économique d'État, réalisée en décembre 1956 (cité par H. C. Hagenthaler). Si l'on se réfère à l'année 1952 pour étudier la rentabilité des 123 films produits, on constate que les résultats d'exploitation amènent à considérer que 61 films ont été bénéficiaires et 62 déficitaires. Pour les 61 premiers, la marge moyenne est de 42,5 millions. Pour les 62 autres, la perte moyenne s'élève à 20,4 millions pour un coût moyen de 55 millions. Ce sont plutôt les films les moins chers qui perdent de l'argent.

Ce n'est donc pas pour des raisons de rationalisation financière que le petit budget va devenir une référence positive, mais au départ pour des raisons esthétiques (qui deviennent économiques lorsque ces films rapportent à leur tour de l'argent).

Bien entendu, ce sont les gros budgets qui se trouvent en tête des succès du box-office. En 1955, on trouve *Napoléon* (Sacha Guitry), *Les Diaboliques* (H.-G. Clouzot) et *Le Rouge et le Noir* (Cl. Autant-Lara); en 1956, *Les Grandes Manœuvres* (René Clair), *Le Monde du silence* (L. Malle et J.-Y. Cousteau) et *Si Paris nous était conté* (encore Sacha Guitry): des fresques historiques, des films à costumes et des adaptations littéraires. Seul le film du commandant Cousteau vient s'intégrer dans cette liste, mais il représente le film documentaire, qui, une fois tous les quarante ans, connaît un triomphe exceptionnel, comme par exemple *Microcosmos* en 1996.

Lorsque débute la saison 1957, trois films s'imposent commercialement: *Notre-Dame de Paris* (Jean Delannoy), *La Traversée de Paris* (Cl. Autant-Lara) et *Gervaise* (René Clément). C'est à ces trois films que vont s'en prendre les rédacteurs des Cahiers du cinéma dans la table ronde «Six personnages en quête d'auteurs», de même qu'ils s'en prendront à Jacques Becker pour *Ali Baba et les quarante voleurs* (1954) et pour *Les Aventures d'Arsène Lupin* (1957), en dépit des paradoxes de Truffaut, inconditionnel de l'auteur au nom de sa propre théorie.

En ouverture de cet historique numéro des *Cahiers* «Situation du cinéma français» (n° 71, mai 1957), la revue trouve un interlocuteur de choix, le directeur du Centre national de la cinématographie, Jacques Flaud, qui s'entretient avec Jacques Doniol-Valcroze et André Bazin. Un constat traverse toutes ses réponses : la santé économique du cinéma est très bonne mais sa situation artistique est préoccupante, analyse qui ne peut que rencontrer un écho favorable au sein de la revue. Cette bonne santé a deux causes : le niveau de la fréquentation que nous rappelons brièvement : 423 millions d'entrées en 1947, 411 millions en 1957, avec un léger fléchissement en 1952, soit 390 millions d'entrées par an en moyenne de 1947 à 1957. De plus, ce sont les films français qui dominent très largement le marché, la concurrence américaine ne se manifestant vraiment qu'au début des années 1960. Jacques Flaud rappelle que le cinéma français de cette période s'exporte bien puisque, en 1956, près de 40 % des recettes proviennent de l'étranger.

Mais s'y conjugue une troisième cause : l'intervention de l'État avec l'«aide au cinéma» mise en place à partir de 1948, puis améliorée en 1953. Jacques Flaud voit même dans cette aide automatique la principale source de prospérité et se demande si la sclérose artistique ne provient pas de «cette espèce de sécurité que donne l'aide».

4. Un cinéma subventionné

Une première loi votée en septembre 1948 décrète une TSA (Taxe spéciale additionnelle) perçue sur les billets d'entrée afin d'alimenter un «fonds de développement», rebaptisé «fonds de soutien». Il s'agit d'imposer à la profession un effort d'épargne en instituant un prélèvement obligatoire sur la recette qui pouvait être ensuite récupéré pour être réemployé dans un nouveau film. Cette méthode d'autofinancement forcé était destinée à intensifier la production nationale face à la pénurie de capitaux et au danger de colonisation économique et culturelle représentée par l'affluence des films américains après la Seconde Guerre mondiale. La TSA frappant l'ensemble des recettes y compris celles réalisées sur les films étrangers, la production nationale bénéficie d'une aide supportée en partie par la production étrangère. C'est une mesure protectionniste typique, qualifiée en 1948 de «fonds d'aide temporaire», toujours reconduite depuis sous différentes modalités et qui soutient encore aujourd'hui la production cinématographique française.

La nouvelle loi de 1953 conserve les mêmes principes mais fait apparaître des éléments nouveaux, le plus important étant l'introduction d'un critère de qualité. La *qualité* des films de long métrage mérite désormais une récompense, ou plutôt un encouragement. Les films bénéficiaires de cette mesure doivent être français et « de nature à servir la cause du cinéma français ou à ouvrir des perspectives nouvelles de l'art cinématographique ». Mais, il faut attendre les décrets-lois de mai 1955 pour que certains films commencent à pouvoir bénéficier de cette prime à la qualité.

En 1956, le directeur du CNC dénonce les effets néfastes de l'aide automatique qui donne aux créateurs une mentalité d'industriels et aux producteurs une mentalité d'exportateurs puisque le montant de l'aide obtenu est proportionnel aux recettes. Cela a pour conséquence de favoriser les films traitant de sujets relativement faciles avec des vedettes internationales, tirés d'auteurs connus, de sujets qui ont fait leur preuve par des versions antérieures, donc sont des adaptations ou des remakes, « des films qui recourent aux talents éprouvés et confirmés de comédiens de réputation commerciale internationale ».

Ces thèses sont la version institutionnelle des thèses plus polémiques et plus personnelles de François Truffaut. Jacques Flaud va jusqu'à stimuler l'ardeur des producteurs, les encourager à prendre des risques, essayer de nouveaux comédiens, envisager des renouvellements artistiques, aller dans le sens d'un *rajeunissement* et d'un renouvellement cinématographique. Ce programme officiel est énoncé début 1957 et on comprend pourquoi le CNC fera tout pour favoriser les premières productions de Claude Chabrol et de François Truffaut en accordant à leurs nouvelles firmes de production les dérogations nécessaires, à la grande fureur des syndicats de techniciens.

Dès 1956, plusieurs films bénéficient de cette prime à la qualité pour un total de 110 millions ; ce sont *Mitsou* (Jacqueline Audry), *Un condamné à mort s'est échappé* (Robert Bresson), *Grand'Rue* (Juan Antonio Bardem) et *Sikkim, terre secrète* (Serge Bourguignon), le film de Robert Bresson obtenant à lui seul 50 millions. Celui-ci est alors considéré par les distributeurs comme « inexploitable », mais cette prime permet sa diffusion, et celle-ci est entièrement récupérée par le fonds d'aide, après le succès commercial très inattendu du film. Son audacieux producteur Jean Thuillier est ainsi encouragé dans sa politique de risques. Notons également que c'est Georges de Beauregard qui bénéficie de cette prime pour le film réalisé par l'Espagnol Juan Antonio Bardem (*Grand'Rue*), avant de produire les premiers films de Jean-Luc Godard.

En 1957, cette prime à la qualité est attribuée à plusieurs premiers films dont *Goha* de Jacques Baratier, *Mort en fraude* de Marcel Camus, *Le Beau Serge* de Claude Chabrol, *Un amour de poche* de Pierre Kast et *Ascenseur pour l'échafaud* de Louis Malle. Elle joue par conséquent un rôle décisif dans l'émergence de la Nouvelle Vague l'année suivante. Ce fait confirme que le mouvement n'a rien d'une « génération spontanée », en dépit de l'héritage de la femme de Claude Chabrol et du mariage de François Truffaut (voir plus loin).

5. La dénonciation des superproductions

Certains protagonistes du débat sur la situation du cinéma français auquel nous avons fait allusion s'en prennent violemment aux films chers. Le bouc émissaire de cette polémique est *Notre-Dame de Paris*, réalisé par Jean Delannoy et distribué par Ignace Morgenstern, le futur beau-père de François Truffaut (Paris-Films Production, Distribution Cocinor). Le film de Jean Delannoy bat donc tous les records de recette lors de la saison 1956-1957, et son distributeur confie à Roger Leenhardt : « Je ne prétends pas que ce soit un chef-d'œuvre, je prétends modestement que nous avons fait un succédané honorable de la grande production américaine qui permet à Hollywood de tourner par ailleurs des films extrêmement intéressants. » C'est cette stratégie économique que dénonce violemment Jacques Rivette :

> « Ce film existe, il doit rapporter tant d'argent ; nous n'irons pas le voir, c'est tout. Cela devient grave lorsqu'on demande aux metteurs en scène de talent de faire des *Notre-Dame de Paris*. Et, ce qui est encore plus grave, c'est le moment où ces metteurs en scène de talent acceptent de le faire, avec cependant une arrière-pensée en tête : tourner eux aussi un film de 400 millions, parce que cela va leur permettre de devenir un grand metteur en scène français, parce qu'ils vont toucher beaucoup d'argent ; mais, en même temps, mettre dans les coins de leur film des petits alibis, des petites astuces, privées la plupart du temps, qui ne le rendront pas meilleur, qui n'en feront pas un film d'auteur... » (*Cahiers du cinéma*, n° 71.)

Les metteurs en scène que vise particulièrement Rivette ici sont Claude Autant-Lara et Henri-Georges Clouzot, mais aussi René Clément, dont André Bazin vient de souligner la vacuité du dernier film, *Gervaise*. Les « personnages en quête d'auteurs » de cette table ronde expriment leur déception vis-à-vis de l'évolution récente des œuvres de Clouzot, de Clément et de Becker « qui ont cru qu'il suffisait de rechercher un style pour arriver à refaire une nouvelle âme au cinéma français ». *Arsène Lupin* ou *Gervaise* sont ainsi qualifiés par André Bazin d'œuvres « les plus achevées de Becker et de Clément mais d'œuvres peut-être aussi les plus vides ». Cette caractéristique est attribuée aux conditions de production.

Rivette reprend le mot d'ordre de Truffaut proclamé dans son éditorial d'*Arts.* Clouzot, Clément et Autant-Lara sont les trois grands coupables parce qu'ils n'ont pas voulu prendre de risques et qu'ils sont « pourris par l'argent ». Il énonce alors cet aphorisme provocateur : « Ce qui manque le plus au cinéma français, c'est l'*esprit de pauvreté.* » Il ajoute ensuite : « Il n'y a de chances maintenant pour ce cinéma français que dans la mesure où d'autres metteurs en scène prendront ces risques de faire des films pour 20 ou 30 millions, et peut-être encore moins, en tournant avec des moyens de fortune. » C'est ce que fera Rivette lui-même l'année suivante en se lançant dans l'aventure de *Paris nous appartient*, dont la réalisation chaotique s'étalera sur de nombreux mois, sera interrompue faute de moyens, puis reprise grâce au soutien de Chabrol et de Truffaut.

Cette forte défiance envers les gros budgets reste une constante de la Nouvelle Vague. Lorsque, quelques années plus tard, Godard accepte de se compromettre en engageant la star la plus chère pour une coproduction internationale associant Joe Levine à Carlo Ponti, il ne cessera d'affirmer qu'il dirige un film à petit budget, une fois qu'on a retranché le salaire de l'actrice principale. Il s'agit bien sûr de Brigitte Bardot, rémunérée 250 millions pour un film d'un budget total de 500 millions, *Le Mépris.* Et François Truffaut s'efforcera toujours d'enchaîner un petit budget après une production financièrement plus ambitieuse avec une ou plusieurs stars, par exemple *L'Enfant sauvage* après *La Sirène du Mississipi* en 1969.

6. Des films autoproduits

Pour mener à bien cette nouvelle pratique « à risque » de la production, il fallait de nouveaux producteurs. Certains premiers films ont été considérés comme des jalons annonçant le phénomène qui se généralise au printemps 1959. Nous avons ainsi abordé le cas des premiers longs métrages de Melville et de Varda, produits trop en dehors des normes pour faire école.

Les Dernières Vacances, produit par Pierre Gérin et réalisé par Roger Leenhardt en 1947, *Les Mauvaises Rencontres*, produit par Edmond Tenoudji et réalisé par Alexandre Astruc d'après un roman de Cécil Saint-Laurent (*Une sacrée salade*) en 1955, sont deux films de théoriciens critiques, collaborateurs des *Cahiers du cinéma*. Ils sont cependant l'un et l'autre produits selon le processus classique en vigueur à l'époque. Le second film d'Astruc, *Une vie*, est une adaptation littéraire avec une star internationale, Maria Schell, coproduite par la productrice de *Gervaise*, Annie Dorfmann. Les deux premiers longs métrages d'Astruc échappent donc aux conditions de production qui définissent la Nouvelle Vague.

Louis Malle a débuté par un film très atypique, *Le Monde du silence*, très grosse recette de l'année 1956, mais il n'en est en fait que le jeune conseiller technique ; c'est évidemment un film du commandant Jacques-Yves Cousteau, au talent déjà très médiatique.

Son long métrage suivant, au climat très personnel, est une production conventionnelle d'après un roman policier médiocre de Noël Calef adapté par Roger Nimier : *Ascenseur pour l'échafaud* (1957). L'aspect le plus novateur du film est la partition musicale originale composée par Miles Davis. Mais Louis Malle, qui n'a jamais été critique, est un ancien élève de l'IDHEC avant de devenir assistant de Bresson pour *Un condamné à mort s'est échappé*. Son itinéraire vers le long métrage est par conséquent très traditionnel.

Enfin *Et Dieu créa la femme* que réalise le jeune Roger Vadim en 1956, film dont la nouveauté de ton impressionne alors beaucoup Truffaut et Godard, est une production tout aussi classique de Raoul Lévy, bâtie autour d'une star internationale : Curd Jürgens ; celui-ci vient de triompher dans *Michel Strogoff*, type même de la coproduction internationale, réalisé par Carmine Gallone.

C'est Claude Chabrol qui, en produisant lui-même *Le Beau Serge* grâce à un héritage familial, ouvre la voie. Auparavant, Rohmer, Rivette, Truffaut, Kast et Godard n'ont pu réaliser que des courts métrages, dont un certain nombre obtiendront par ailleurs la prime à la qualité réservée aux films de ce format. Pourtant un projet de coopérative de production, associant les rédacteurs des *Cahiers du cinéma* à quelques cinéastes plus expérimentés comme Alain Resnais, a été mis en place en 1958 :

> « Pour faire des films, nous avons mis sur pied une sorte de coopérative. Il était entendu que Resnais, qui était de nos amis et dont on avait défendu les courts métrages, réaliserait son premier grand film avec Rivette comme assistant. Ensuite Rivette ferait sa première mise en scène, Truffaut étant assistant. Ce dernier prendrait le relais avec

> Charles Bitsch. Quand Bitsch, à son tour, dirigerait, je serais son assistant, etc. Ce système de noria n'était pas inintelligent. Il n'a jamais fonctionné » (Claude Chabrol, *Et pourtant...*, Laffont, 1976, p. 136).

Claude Chabrol, fils de pharmacien, originaire de la Creuse, est critique aux *Cahiers* depuis 1953. Il écrit quelques nouvelles policières pour *Mystère Magazine* et travaille comme attaché de presse à la Fox. Il se marie en juin 1952 à Marseille ; sa femme hérite d'une grand-mère 32 millions de francs qu'il investit aussitôt dans une société de production. Il crée alors AJYM Films, A comme Agnès, sa femme, JYM comme Jean-Yves et Mathieu, prénoms de ses deux fils. En 1956, il produit d'abord un court métrage réalisé en 35 mm par Jacques Rivette, *Le Coup du berger*, en association avec le producteur Pierre Braunberger. Jacques Doniol-Valcroze est l'un des interprètes du film avec Jean-Claude Brialy. Ce court métrage peut être considéré comme la première production professionnelle aboutie de la Nouvelle Vague, car les films antérieurs de Truffaut, Rohmer ou Godard ont été réalisés en 16 mm, format qualifié à l'époque de « non professionnel ».

C'est alors que Chabrol décide de se lancer dans l'aventure du long métrage. Il écrit deux scénarios, ceux du *Beau Serge* et des *Cousins*, et choisit le moins cher. Le CNC lui accorde une autorisation temporaire de tournage. Celui-ci a lieu pendant neuf semaines, de décembre 1957 à février 1958 à Sardent, village de la Creuse, où Chabrol enfant a passé les quatre années d'Occupation. Le scénario a des racines biographiques : Brialy joue le rôle du Parisien François, porte-parole de Chabrol, avec lequel il partage plusieurs éléments personnels, et le personnage que Gérard Blain incarne est partiellement inspiré par Paul Gégauff, ami et scénariste du réalisateur.

Le devis initial se montait à 38 millions de francs, mais en raison de dépassements provoqués par les erreurs du metteur en scène néophyte, le film revient à 42 millions de francs. Cela reste un petit budget, « mais c'était quand même beaucoup pour un film qui n'avait pas de distributeur ». Il obtient cependant la prime à la qualité d'un montant de 35 millions de francs, qui couvre une grande partie des frais. Le comité de sélection du Festival de Cannes choisit un moment le film, avant de sélectionner *L'Eau vive* de François Villiers. Le film de Chabrol est toutefois présenté à Cannes hors compétition et un intermédiaire producteur, Bob Amon, le vend à des distributeurs étrangers. Ces ventes ajoutées à la prime amortissent entièrement le film avant qu'il soit distribué. Chabrol se lance alors aussitôt dans la réalisation de son second long métrage, *Les Cousins*, avec la même équipe technique et les mêmes acteurs. La réalisation est cependant cette fois accomplie en grande partie en studio et non plus en extérieurs naturels, sur le petit plateau de Boulogne-Billancourt. La somme récupérée par l'aide et les ventes du *Beau Serge* représente un budget total de 65 millions de francs qu'il réinvestit. Bob Amon négocie alors un complément de production de 25 millions de francs auprès d'Edmond Tenoudji avec un contrat qui assure la sortie en salle des deux films. Ceux-ci seront exploités avec le succès que l'on sait en février et mars 1959, distribués par le circuit Marceau-Cocinor que Tenoudji vient de racheter à Morgenstern. *Le Beau Serge*, sorti le 11 février 1959 au Publicis (9 semaines) et à l'Avenue (4 semaines), totalise 67 176 entrées en exclusivité parisienne. *Les Cousins*, sorti le 11 mars 1959 au Colisée (8 semaines) et au Marivaux (14 semaines), totalise 258 548 entrées. C'est un triomphe commercial qui transforme son réalisateur en vedette de la Nouvelle Vague, comme ses deux jeunes acteurs, Jean-Claude Brialy et Gérard Blain.

Au même moment, *Guinguette*, que vient de réaliser Jean Delannoy sur un scénario d'Henri Jeanson, est distribué en exclusivité dans quatre salles le 4 mars de la même année, avec trois « stars » françaises au générique : Zizi Jeanmaire, Paul Meurisse et Jean-Claude Pascal. Le film atteint à peine 81 802 entrées. Ces chiffres parlent tout seuls ; ils vont servir de références pendant deux saisons aux producteurs et aux exploitants.

L'entrée professionnelle du jeune cinéaste François Truffaut est assez voisine de celle de son collègue Claude Chabrol. Lorsqu'il s'apprête à réaliser son premier court métrage en 1957, François Truffaut est un journaliste vedette qui fait la une de l'hebdomadaire *Arts*. Il avait été auparavant assistant de Roberto Rossellini pendant deux ans, en 1955 et en 1956, préparant avec lui de nombreux projets de films qui ne verront jamais le jour. Il avait alors écrit plusieurs scénarios qu'il avait tenté de faire produire après avoir réalisé un petit film en 16 mm dans des conditions d'amateurisme et qui est resté inédit (*Une visite*, 1954). Au Festival de Venise en septembre 1956, Truffaut fait la connaissance de sa future femme Madeleine Morgenstern, fille d'Ignace Morgenstern qui dirige le Comptoir cinématographique du Nord (Cocinor), l'un des plus importants réseaux de distribution du cinéma français.

Grâce au soutien de Morgenstern et surtout de son bras droit Marcel Berbert, Truffaut crée une petite société de production, les Films du Carrosse, bénéficiant d'un crédit de 2 millions de francs. Cette somme correspond au devis du court métrage qu'il va réaliser en adaptant une nouvelle de Maurice Pons, *Les Mistons*. Il remporte le prix de la mise en scène au Festival du film mondial de Bruxelles en février 1958 ; le film sera distribué au cinéma La Pagode avec deux moyens métrages de Jean Rouch et de Colin Low.

Truffaut prépare ensuite un film que doit produire Pierre Braunberger, *Temps chaud*, d'après un roman de Jacques Cousseau, projet qui sera reporté à plusieurs reprises. Au cours du printemps 1958, il persuade Ignace Morgenstern, devenu entre-temps son beau-père, de produire un scénario beaucoup plus personnel, *Les Quatre Cents Coups*, dont le devis s'élève à environ 40 millions d'anciens francs. Le film est réalisé du 10 novembre 1958, jour de la mort d'André Bazin, au 5 janvier 1959, en grande partie en décors naturels à Paris. Après une projection de presse en avril 1959, le film est proposé en compétition par le comité de sélection du Festival de Cannes pour représenter la France. Entre-temps, la Ve République est née, et avec elle le ministère des Affaires culturelles que dirige André Malraux.

Les Quatre Cents Coups obtient le prix de la Mise en scène, mais surtout Marcel Berbert réussit à vendre le film aux Américains pour 50 000 dollars, ce qui couvre exactement les 47 millions de francs que le film a coûté. Il va le vendre aussi aux distributeurs japonais, italiens, suisses et belges pour une somme de 87 millions de francs, soit deux fois le budget du film. Mais plus encore, le film sort le 3 juin dans deux salles des Champs-Élysées, le Colisée et le Marivaux, et tient l'affiche pendant 14 semaines, totalisant 261 145 entrées à Paris et près de 450 000 spectateurs pour l'ensemble de la France. Ce premier long métrage de Truffaut devient même un phénomène de société dont s'emparent les magazines et la presse populaire pour aborder les problèmes de l'enfance malheureuse et de l'éducation des adolescents (voir aussi à ce sujet la biographie du cinéaste par Antoine de Baecque et Serge Toubiana).

7. Trois producteurs

Si les cas de Chabrol et de Truffaut ont été décisifs dans l'amorce du mouvement et son retentissement médiatique, grâce à leur triomphe commercial et public, ils restent particuliers. Ce mouvement de renouvellement de la production sera le fait également de trois producteurs qui ont su saisir ce moment historique : Pierre Braunberger, Anatole Dauman et Georges de Beauregard, dont les catalogues mis en commun rassemblent plusieurs dizaines de films majeurs des années 1960.

Pierre Braunberger (né en 1905), le doyen des trois, a débuté en 1926, en produisant Alberto Cavalcanti (*Rien que les heures*) et Jean Renoir (*Sur un air de charleston*). Son riche catalogue comprend aussi bien des films d'avant-garde que des œuvres très commerciales comme *Vous n'avez rien à déclarer* de Léo Joannon en 1936 avec Raimu, *Les Aventures des Pieds nickelés* de Marcel Aboulker en 1948 ou *Julietta* de Marc Allégret en 1953 avec Dany Robin et Jean Marais. Mais Pierre Braunberger, à l'affût de nouveaux talents, soutient Melville pour *Le Silence de la mer* en 1947-1948. Il va distribuer et coproduire des films ethnographiques de Jean Rouch, réunis sous le titre *Les Fils de l'eau* (1951-1955), et produire *L'Amérique insolite* de François Reichenbach (1958), documentaire qui utilise une nouvelle pellicule plus sensible et qui connaîtra un grand succès.

Pierre Braunberger va jouer un rôle décisif dans le domaine du court métrage en encourageant la production de petits films de fiction alors que ce format est dominé à l'époque par les documentaires et les films industriels. Il se souvient en cela des courts métrages de première partie, très nombreux dans les années 1930. Braunberger produit en 1947-1948 des courts métrages sur des peintres : *Van Gogh*, *Guernica*, *Gauguin*, réalisés par Alain Resnais ; *Toulouse-Lautrec* et *Chagall* réalisés par Robert Ressens. Mais en 1956, il décide de coproduire avec Claude Chabrol, qui en a pris l'initiative, *Le Coup du berger*, réalisé en 35 mm par Jacques Rivette, dans l'appartement de Chabrol (scénario de J. Rivette, C. Chabrol et Charles Bitsch, également opérateur du film). Puis ce sera *ô Saisons, ô châteaux* d'Agnès Varda (1956), et les deux années suivantes : *Les Surmenés* de Jacques Doniol-Valcroze, *Tous les garçons s'appellent Patrick* de Jean-Luc Godard sur un scénario d'Éric Rohmer, *Charlotte et son Jules* du même et *Histoire d'eau* qui associe Truffaut et Godard. Braunberger est donc le producteur qui a préparé l'apparition du mouvement par son catalogue de films de court métrage. Mais, comme nous l'avons précédemment souligné, du point de vue des producteurs et plus encore de celui du public, c'est le domaine du long métrage de fiction qui demeure décisif, parce qu'il est beaucoup plus important en termes de « visibilité » institutionnelle et d'espoir de rentabilité économique.

En 1958-1959, Braunberger produit coup sur coup trois films clés, des longs métrages, dans cette phase initiale de la Nouvelle Vague : *Moi, un Noir* et *La Pyramide humaine* de Jean Rouch, *L'Eau à la bouche* de Jacques Doniol-Valcroze. Il accompagne le développement de l'œuvre de Rouch avec *La Punition*, *La Chasse au lion à l'arc* et *Jaguar* (nous y reviendrons dans le chapitre consacré à la technique et à l'esthétique). Au début des années 1960, il produit le second film de Truffaut : *Tirez sur le pianiste*, le troisième de Doniol-Valcroze, *La Dénonciation*, et le quatrième de Godard, *Vivre sa vie. Tous* ces films ont des budgets plutôt modestes.

Anatole Dauman (né à Varsovie en 1925), émigré en France, a créé en 1951, avec Philippe Lifchitz, Argos Films, une société spécialisée dans la production de films sur l'art, sur le modèle des documentaires italiens de Luciano Emmer ; ces films sont souvent des commandes du ministère des Affaires étrangères. Il fait débuter dans le court métrage Pierre Kast, Jean Aurel et Chris Marker. En 1953, grâce à une avance du producteur-distributeur Jean Thuillier d'UGC, il produit le moyen métrage d'Alexandre Astruc, *Le Rideau cramoisi*, qui bénéficie de la prime à la qualité. Puis ce sera *Nuit et Brouillard* de Resnais, *Dimanche à Pékin* et *Lettres de Sibérie* de Chris Marker. En 1959, c'est Argos Films qui est à l'origine de la production de *Hiroshima mon amour.* Suivront *L'Année dernière à Marienbad* et *Chronique d'un été*, manifeste du « cinéma-vérité » de Jean Rouch et d'Edgar Morin.

La sortie parisienne de *Chronique d'un été* est accompagnée d'un article d'Edgar Morin qui paraît en janvier 1960 dans *France-Observateur*, intitulé « Pour un nouveau cinéma vérité » :

> « Ce film est une recherche. Le milieu de cette recherche est Paris. Ce n'est pas un film romanesque. Cette recherche concerne la vie réelle. Ce n'est pas un film documentaire. Cette recherche ne vise pas à décrire ; c'est une expérience vécue par ses auteurs et ses acteurs. Ce n'est pas un film sociologique à proprement parler. Le film sociologique recherche la société. C'est un film ethnologique au sens fort du terme : il cherche l'homme. C'est une expérience d'interrogation cinématographique. "Comment vis-tu ?" C'est-à-dire non seulement le mode de vie (logement, travail, loisirs) mais le style de vie, l'attitude à l'égard de soi-même et des autres, la façon de concevoir ses plus profonds problèmes et la réponse à ces problèmes » (Edgar Morin et Jean Rouch, « Chronique d'un été », *Domaine cinéma*, 1, cahiers trimestriels, hiver 1961-1962, éd. InterSpectacles).

Dans les années 1960, Anatole Dauman produit le second long métrage du vétéran Roger Leenhardt, *Le Rendez-vous de minuit*, coproduit le troisième long métrage de Resnais, *Muriel ou le temps d'un retour*, deux films de Jean-Luc Godard, *Deux ou Trois Choses que je sais d'elle* et *Masculin-Féminin* et deux de Robert Bresson, *Au hasard Balthazar* et *Mouchette.*

Les budgets de ces films sont nettement plus importants que ceux de Pierre Braunberger et Georges de Beauregard (voir plus loin). Ils appartiennent aux œuvres majeures du cinéma moderne mais s'éloignent du mode de production spécifiquement Nouvelle Vague par leur prix, le recours au studio et à la post-synchronisation.

Enfin **Georges de Beauregard** (né à Marseille en 1920) sera le producteur de Jean-Luc Godard à partir d'*À bout de souffle*. Son parcours est toutefois très atypique. Il a débuté dans l'Espagne des années 1950 comme exportateur de films français. À Madrid, il produit les deux premiers longs métrages de Juan Antonio Bardem : *Mort d'un cycliste* et *Grand'Rue*, en 1955. Ce dernier film obtient la prime à la qualité, comme nous l'avons déjà indiqué. En France, il se lie à Joseph Kessel et se lance dans la production très aventureuse de *La Passe du Diable* en Afghanistan, coréalisé par Jacques Dupont et Pierre Schoendoerffer, avec Raoul Coutard comme chef opérateur. Le film est présenté à Berlin en 1958 mais n'est distribué qu'en octobre 1959. De Beauregard se rabat alors sur des adaptations beaucoup plus conventionnelles de Pierre Loti, *Pêcheurs d'Islande* et *Ramuntcho*, dont il confie la réalisation à Pierre Schoendoerffer. Ce sont des productions classiques en Cinémascope et en couleurs, loin de l'esthétique Nouvelle Vague. C'est par ce biais qu'il fait la connaissance de Jean-Luc Godard, en lui proposant de travailler sur l'adaptation de *Pêcheurs d'Islande*. Godard réussit à le convaincre d'accepter un scénario de film policier que lui a confié François Truffaut, et sur lequel ils ont travaillé ensemble quelques années auparavant à partir d'un fait divers. De Beauregard accepte de financer le projet avec un budget très bas de 40 millions de francs, en partie grevé par le cachet de Jean Seberg versé à la Fox. C'est la société de Léon Beytout et de Roger Pignières, la Société nouvelle de cinématographie (SNC), qui apporte une importante avance de distributeur. Jean-Luc Godard remplit son contrat en réalisant le film très rapidement, en quatre semaines, du 17 août au 15 septembre 1959. Le montage et la post-synchronisation du film sont plus laborieux, le film n'étant distribué que le 16 mars 1960 dans quatre salles d'exclusivité (sept semaines). Il est cependant précédé d'une campagne de promotion très dynamique, dans *L'Express* notamment.

Et c'est un nouveau triomphe pour la Nouvelle Vague : 259 046 entrées en première exclusivité parisienne, auxquels il faut ajouter les 121 874 entrées dans les principales villes de province. *À bout de souffle* sauve Les Films Georges-de-Beauregard d'une mauvaise passe. Le producteur en sera reconnaissant à son jeune metteur en scène, puisqu'il produira six autres de ses longs métrages malgré l'interdiction totale par la censure du second : *Le Petit Soldat* (1960, distribué en 1963), *Une femme est une femme* (1961), *Les Carabiniers* (1963), *Le Mépris* (1963), *Made in USA* (1966), et près de dix ans plus tard, *Numéro deux* (1975).

Ainsi, par l'intermédiaire de Godard, Georges de Beauregard devient le principal producteur de la Nouvelle Vague, produisant Jacques Demy (*Lola*), Jacques Rozier (*Adieu Philippine*), Claude Chabrol (*L'Œil du malin, Landru, Marie-Chantal contre le docteur Kah*), Jean-Pierre Melville (*Léon Morin prêtre, Le Doulos*), Agnès Varda (*Cléo de 5 à 7*), Pierre Schoendoerffer à nouveau, mais pour un film beaucoup plus personnel (*La 317ᵉ Section*, suivi d'*Objectif 500 millions* plus conventionnel), Jacques Rivette (*Suzanne Simonin, la religieuse de Diderot, L'Amour fou*), Éric Rohmer (*La Collectionneuse*). Une bien belle filmographie.

Avec Braunberger, Dauman et de Beauregard, Jacques Flaud a trouvé les producteurs audacieux qu'il appelait de ses vœux en 1957. Reste à confronter la carrière commerciale des films de la Nouvelle Vague par rapport à ceux de la « qualité française ».

8. La carrière publique des films des anciens et des nouveaux

Dans une étude inédite, un jeune chercheur américain, Ignazio Scaglione, a comparé les résultats globaux d'exploitation de tous les longs métrages réalisés entre 1956 et 1963 par dix réalisateurs de l'ancienne génération et dix réalisateurs de la nouvelle. Il a additionné les chiffres d'exploitation des films d'Allégret, Autant-Lara, Becker, Bresson, Carné, Christian-Jaque, Clément, Clouzot, Delannoy et Duvivier pour l'ancienne génération. Il obtient le total de 9 888 538 entrées (première exclusivité) et une moyenne de 159 444 entrées par films. Pour la nouvelle génération, il a rassemblé de Broca, Chabrol, Demy, Godard, Kast, Malle, Mocky, Resnais, Truffaut et Vadim. Les films de ces dix nouveaux réalisateurs totalisent 7 168 078 entrées, avec une moyenne de 143 361 entrées par film.

Les résultats obtenus pas les nouveaux cinéastes sont donc légèrement inférieurs à ceux de la génération précédente mais la différence reste minime, d'autant plus que cette liste comprend des titres qui ont été des échecs publics retentissants comme *L'Œil du malin, Ophélia* et *Les Carabiniers* ainsi que des films d'une grande ambition intellectuelle comme ceux d'Alain Resnais (*Hiroshima mon amour* et, plus encore, *L'Année dernière à Marienbad*).

Afin d'illustrer cette confrontation commerciale, nous indiquons les résultats des meilleurs succès et plus gros échecs de ces deux catégories de cinéastes :

Ancienne génération*
• *Meilleurs résultats :*

1. *Les Tricheurs* (Carné, 1958)	556 203	entrées en excl.
2. *La Vérité* (Clouzot, 1960)	527 026	,,
3. *Notre-Dame de Paris* (Delannoy, 1956)	495 071	,,
4. *Le Baron de l'écluse* (Delannoy, 1960)	366 168	,,
5. *La Traversée de Paris* (Autant-Lara, 1956)	363 033	,,
6. *Gervaise* (Clément, 1956)	357 393	,,
7. *La Jument verte* (Autant-Lara, 1959)	320 887	,,

• *Plus mauvais résultats :*

1. *Tu ne tueras point* (Autant-Lara, 1963)	21 343	entrées en excl.
2. *Le Procès de Jeanne d'Arc* (Bresson, 1963)	24 105	,,
3. *Le Mystère Picasso* (Clouzot, 1956)	37 062	,,
4. *La Grande Vie* (Duvivier, 1960)	43 286	,,
5. *Boulevard* (Duvivier, 1960)	47 293	,,
6. *Quand la femme s'en mêle* (Allégret, 1957)	47 654	,,
7. *Pickpocket* (Bresson, 1959)	48 612	,,

Il faut sans doute ajouter à cette liste des échecs notoires *L'Ambitieuse*, de Yves Allégret (1959), dont les résultats très médiocres à Paris n'ont pas été comptabilisés par le CNC (35 067 entrées en province).

Nouvelle génération*
• *Meilleurs résultats :*

1. *Les Liaisons dangereuses* (Vadim, 1960)	639 955	entrées en excl.
2. *Le Repos du guerrier* (Vadim, 1962)	481 869	,,

3. *Les Amants* (Malle, 1958)	451 473	,,
4. *Le Monde du silence* (Cousteau-Malle, 1956)	280 411	,,
5. *Les Quatre Cents Coups* (Truffaut, 1959)	261 145	,,
6. *À bout de souffle* (Godard, 1960)	259 046	,,
7. *Les Cousins* (Chabrol, 1959)	258 548	,,

• **Plus mauvais résultats :**

1. *Les Carabiniers* (Godard, 1963)	2 800	entrées en excl.
2. *Ophélia* (Chabrol, 1963)	6 983	,,
3. *L'Œil du malin* (Chabrol, 1962)	8 032	,,
4. *Les Godelureaux* (Chabrol, 1961)	23 408	,,
5. *Vacances portugaises* (Kast, 1963)	27 913	,,
6. *Lola* (Demy, 1961)	43 385	,,
7. *Les Snobs* (Mocky, 1962)	44 491	,,

* Nous utilisons à titre exceptionnel ces deux expressions, car il est tout aussi discutable d'intégrer Robert Bresson et Jacques Becker dans l'ancienne vague que Philippe de Broca ou Roger Vadim dans la nouvelle, sauf à s'en tenir, comme Pierre Billard, au strict critère biographique (voir le chapitre 1).

Les adversaires de la Nouvelle Vague ont souvent prétendu qu'elle avait entraîné la production de plusieurs dizaines de films « improjetables », qu'aucun distributeur n'aurait accepté de présenter devant un public. Et cela en invoquant souvent la faiblesse des bugets des films. Ce phénomène d'absence de distribution commerciale, assez étonnant quand on évoque le coût, même modeste, d'un film, est en fait assez fréquent à toutes les époques du cinéma. C'est évidemment le cas des films dont la réalisation n'a pas été terminée, pour des raisons de financement insuffisant, la plupart du temps, ou bien pour des conflits entre auteurs et producteurs. Mais, en 1962, il y a autant de films « Nouvelle Vague » que de films « ancienne vague » qui restent sur les étagères de leurs producteurs. Luc Moullet en donne une liste précise :

> « En fait, 22 films vieux de plus de 20 mois (durée au-delà de laquelle un film peut être considéré comme « insortable ») sont inédits à Paris. Ce sont : *Un jour comme les autres* (Bordry), *Merci Natercia* (Kast),

> *La Ligne de mire* (Pollet), *L'Engrenage* (Kalifa), *Sikkim* (Bourguignon), *La Mort n'est pas à vendre* (Desrumeaux), *Au coeur de la ville* (Gautherin), *Les Petits chats* (Villa), *Morambong* (Bonnardot), *Le Petit Soldat* (Godard), *Play-boys* (Félix), ces trois derniers inédits par la seule faute de la censure [...] » (Luc Moullet, *Cahiers du cinéma*, n° 128, p. 88).

Soit onze films de jeunes réalisateurs.

Mais Moullet énumère le même nombre de longs métrages réalisés par des représentants de la génération précédente, à la filmographie parfois abondante. Ce sont : *Les Copains du dimanche* (Aisner, avec Jean-Paul Belmondo dans le rôle principal, avant *À bout de souffle*), *Ça aussi, c'est Paris* (Maurice Cloche), *Trois Pin-up comme ça* (Bibal), *L'Or de Samory* (Alden-Delons), *La Blonde des tropiques* (Roy), *Un homme à vendre* (Maurice Labro), *Le Train de 8 h 47* (Pinoteau, film inachevé), *Le Tout pour le tout* (Dally), *L'Espionne sera à Nouméa* (Péclet), *Chasse à l'homme* (Mérenda), *Qu'as-tu fait de ta jeunesse ?* (Daniel-Norman). Aucun de ces films n'est interdit par la censure. La plupart de ces titres ne sortiront jamais.

4

Une pratique technique, une esthétique

I. L'Esthétique de la Nouvelle Vague

Elle repose sur une autre façon de produire les films, comme nous l'avons vu au chapitre précédent, privilégiant le petit budget afin de sauvegarder la liberté de création de l'auteur réalisateur. Mais elle a également bouleversé de nombreuses habitudes qui gouvernaient à cette époque les pratiques techniques depuis la conception même du film jusqu'à son montage et son mixage final. De ce fait, elle a amené une nouvelle génération de techniciens, collaborateurs de création, opérateurs, scénaristes, dans une profession qui était très fermée et très cloisonnée. L'esthétique Nouvelle Vague repose sur une série de choix qui vont du scénario à la finition du film. Elle suppose donc en principe les partis pris suivants :

1. **l'auteur réalisateur** est également le scénariste du film ;

2. il n'utilise pas de découpage strict pré-établi et une large place est laissée à l'**improvisation** dans la conception des séquences, le dialogue, le jeu des acteurs ;

3. il privilégie pour le tournage les **décors naturels** et exclut le recours aux décors reconstitués en studio ;

4. il utilise une **équipe** « **légère** » de quelques personnes ;

5. il opte pour le « **son direct** » enregistré au moment du tournage plutôt que pour la post-synchronisation ;

6. il s'efforce de ne pas utiliser des éclairages additionnels trop pesants, donc choisit avec son chef opérateur une **pellicule très sensible** ;

7. il utilise des **non-professionnels** pour interpréter les personnages ;

8. s'il a recours malgré tout à des professionnels, il opte pour des **nouveaux acteurs** qu'il dirige de manière plus libre.

Tous ces choix vont dans le sens d'une plus grande souplesse de réalisation et s'efforcent d'alléger autant que possible les lourdes contraintes du cinéma conçu sur le modèle commercial et industriel. Ils visent à effacer les frontières entre cinéma professionnel et amateurisme, comme entre film de **fiction** et film **documentaire** ou film d'enquête.

Très rares sont les films qui vont aller jusqu'au bout de cette logique mais elle sous-tend tout le processus créatif du cinéma issu de la Nouvelle Vague. Le modèle initial est incarné par les films de Jean Rouch à partir de *Moi, un Noir* (1958). C'est Rouch qui sera le plus fidèle à cette démarche tout au long des années 1960, avec des films comme *La Pyramide humaine* (1959) et *La Chasse au lion à l'arc* (1965). Elle aboutit à un moyen métrage expérimental, *La Punition*, à l'audience publique assez confidentielle mais qui aura une influence considérable sur les films de Rohmer des années 1970 et 1980. Elle est à l'origine d'une des œuvres les plus fortes du cinéma des années 1960 : *Gare du Nord*, court métrage réalisé par Jean Rouch pour le manifeste collectif *Paris vu par...* en 1965.

Cet effacement de la frontière entre fiction et documentaire est l'un des pôles esthétiques de la Nouvelle Vague, influençant outre Éric Rohmer, Jacques Rivette, Jacques Rozier, Jean Eustache, Godard pour certains de ses films, et d'une certaine manière, pour la période postérieure, Maurice Pialat, Philippe Garrel et Jacques Doillon.

L'autre pôle est à dominante plus narrative. Il regroupe des auteurs qui ont une conception plus romanesque de la création, comme Claude Chabrol, François Truffaut, Agnès Varda, Jacques Demy, Pierre Kast, Jacques Doniol-Valcroze. Tous ces auteurs réalisateurs à des degrés divers ont une pratique du cinéma plus classique, fondée sur un scénario et des dialogues préalables, utilisant la post-synchronisation. S'ils appartiennent également au mouvement de la Nouvelle Vague, c'est par leur petit budget, leur inspiration autobiographique, leurs thématiques liées à la société contemporaine, à « l'air du temps » : mythe de la jeunesse, nouvelle morale, dimension autobiographique des films, liberté narrative, usage de la digression, etc.

Tel n'est pas le cas de cinéastes aussi importants qu'Alain Resnais ou Jean-Pierre Melville que l'on a pu, à un moment de leur carrière, rapprocher de ou intégrer à la Nouvelle Vague.

Resnais est très certainement un grand cinéaste moderne, tout aussi important que Jean-Luc Godard dans **l'histoire des formes filmiques,** mais sa conception du scénario et du découpage, le recours constant à des auteurs scénaristes, comme Marguerite Duras, Alain Robbe-Grillet, Jorge Semprun, Jacques Sternberg, ses tournages en studio, sa direction d'acteurs, sa conception de la bande sonore fondée sur la post-synchronisation l'éloignent de l'esthétique Nouvelle Vague, celle qui s'affiche avec tant d'éclat dans *Adieu Philippine* (1960-1963) de Jacques Rozier.

Quant à Jean-Pierre Melville, s'il a préfiguré avec *Le Silence de la mer* (comme nous l'avons vu au chapitre précédent) le mode de production dont s'inspireront Chabrol et Truffaut, si, avec un petit film policier comme *Bob le flambeur* au ton très personnel, il a pu influencer le Godard de *À bout de souffle* et le Truffaut de *Tirez sur le pianiste*, très rapidement, à partir du *Doulos* et de *L'Aîné des Ferchaux*, il va développer un style de narration plus classique, sur le modèle du cinéma américain des années 1930 et 1940. Modèle qu'il tente de dépasser vers une abstraction quasi « orientale », parfois qualifiée de « maniériste », fort loin de l'esthétique Nouvelle Vague d'un Jean Rouch ou du Jean-Luc Godard de *Vivre sa vie* et de *Pierrot le fou*.

2. L'auteur réalisateur

Le réalisateur doit-il être son propre scénariste ? Quelle est la part réelle de l'improvisation dans le cinéma de la Nouvelle Vague ?

L'un des dogmes de la politique des auteurs dont Astruc a jeté les bases en 1948 est que « le scénariste fasse lui-même ses films. Mieux, qu'il n'y ait plus de scénariste, car dans un tel cinéma cette distinction de l'auteur et du réalisateur n'a plus aucun sens ». (« Naissance d'une nouvelle avant-garde, la caméra stylo », voir chapitre 2.)

Cette thèse est encore aujourd'hui celle qui a été la plus popularisée ; elle est devenue une idée dominante qui structure dans un certain sens l'accès à la profession et la conception des premiers films. D'où le retour cyclique des polémiques et l'affirmation dialectique, par contrecoup, de l'importance du scénariste.

Mais qu'en a-t-il réellement été à l'époque de la Nouvelle Vague ? Les scénaristes ont-ils tous disparu pour ne laisser la place qu'à l'auteur réalisateur ?

Une étude précise des sujets des films de la Nouvelle Vague démontre que le cas du cinéaste réalisant le scénario qu'il a écrit seul est loin d'être dominant. Très rapidement, les jeunes auteurs ont collaboré avec de nouveaux scénaristes, de manière régulière, ces derniers devenant assez rarement de nouveaux réalisateurs. Prenons les films de référence du début du mouvement :

– *Le Beau Serge* est le seul film qui corresponde exactement à la catégorie du « scénario écrit par son réalisateur », en l'occurrence Claude Chabrol, en grande partie d'après des sources autobiographiques (son enfance pendant les années d'Occupation à Sardent). Mais, dès *Les Cousins*, Chabrol collabore étroitement avec Paul Gégauff, crédité des dialogues du film ; celui-ci va devenir son scénariste régulier tout au long de la décennie. Pour *À double tour*, c'est Gégauff qui adapte le roman policier de Stanley Ellin *The Key to Nicholas Street*. Avec *Les Bonnes Femmes*, la part de Gégauff est prépondérante dans la conception du film, des personnages et des dialogues ; le scénario et les dialogues sont d'ailleurs signés « Paul Gégauff, d'après une idée de Claude Chabrol ». Si le scénario de *L'Œil du malin* est à nouveau de Chabrol, celui d'*Ophélia* est toujours de Gégauff et pour *Landru*, comme nous l'avons vu, Chabrol adapte un scénario de Françoise Sagan.

– *Les Quatre Cents Coups* est un film naturellement très autobiographique, cependant François Truffaut est allé chercher la collaboration d'un scénariste professionnel, qui travaillait alors pour la télévision, Marcel Moussy, afin qu'il l'aide à structurer son travail et contribue à la rédaction des dialogues, comme le faisait Autant-Lara avec Pierre Bost. *Tirez sur le pianiste* est une adaptation d'un roman de David Goodis que Truffaut a beaucoup remanié, toujours avec Marcel Moussy.

– Pour *Jules et Jim*, il adapte le roman de Henri-Pierre Roché avec Jean Gruault. Le cinéaste collabore ensuite avec Gruault pour *L'Enfant sauvage*, pour *Les Deux Anglaises et le continent* et pour *La Chambre verte*.

Tout au long de ses 21 longs métrages, Truffaut collabore très régulièrement avec quatre ou cinq scénaristes avec lesquels il écrira deux ou trois films : Jean-Louis Richard pour *La Peau douce* et *Fahrenheit 451*, *La mariée était en noir* et *La Nuit américaine*, Claude de Givray et Bernard Revon pour *Baisers volés* et *Domicile conjugal*, et Suzanne Schiffman pour *La Nuit américaine*, *L'Argent de poche*, *Le Dernier Métro*, *La Femme d'à côté*, et *Vivement dimanche*. (Voir l'étude de ces collaborateurs dans la monographie de Carole Le Bene consacrée au cinéaste.)

À bout de souffle est au départ un scénario que Truffaut a écrit en 1956 et qu'il cède (sous contrat et contre 1 million d'anciens francs) à Jean-Luc Godard en juin 1959. Auparavant, Truffaut avait tenté de le réaliser lui-même, avec Jean-Claude Brialy ou Gérard Blain dans le rôle de Poiccard, puis l'avait confié à Édouard Molinaro qui devait en faire son premier film, à la place du *Dos au mur* (voir Antoine de Baecque « La politique des copains », *Pour un cinéma comparé*, p. 208-209). Mais à partir de son second long métrage, Godard écrit seul *Le Petit Soldat*.

Pour son troisième film, *Une femme est une femme*, Godard reprend un scénario qu'il a écrit lui-même sur une idée de Geneviève Cluny (il l'a d'ailleurs publié sous sa signature dans les *Cahiers du cinéma* n° 98, en août 1959). Ce scénario a déjà fait l'objet d'un film mis en scène par Philippe de Broca sous le titre *Les Jeux de l'amour* (1959), avec Jean-Pierre Cassel, Geneviève Cluny et Jean-Louis Maury. Mais Godard reprend son bien et remanie de fond en comble ce scénario initial lorsqu'il réalise à sa manière très personnelle *Une femme est une femme*. De même, il ne reste plus grand-chose de la pièce de Benjamin Joppolo dans *Les Carabiniers*, mais le générique précise que Jean Gruault et Roberto Rossellini ont malgré tout collaboré à l'adaptation. Il ne reste quasiment rien ou, du moins pas grand-chose des romans policiers à l'origine de *Pierrot le fou* et de *Bande à part*. Ils n'ont eu pour but que de rassurer les coproducteurs dans la phase initiale des projets.

C'est Godard qui poussera le plus loin cette conception du réalisateur auteur de son propre matériau narratif, car, avec lui, la notion classique de scénario va perdre de plus en plus son sens premier jusqu'à *Made in USA* ou *One plus One*. Godard s'en prendra explicitement aux contraintes économiques du scénario-marchandise dans le prologue très ironique de *Tout va bien*, en 1972 : « Pour faire un film, il faut des vedettes et une histoire. »

Le scénario original du *Signe du lion* que réalise Éric Rohmer en 1959 est bien du cinéaste, mais Paul Gégauff en est à l'origine et il en a coécrit les dialogues. Celui de *Paris nous appartient* mis en scène par Jacques Rivette est de Jean Gruault et du réalisateur. Par contre, Jacques Demy a écrit lui-même le scénario et les dialogues de *Lola*, et de la quasi-totalité de ses films ultérieurs, comme Agnès Varda ceux de *Cléo de 5 à 7*. Mais pour en revenir à l'un des piliers de la rédaction des *Cahiers du cinéma* des années 1950, Pierre Kast, celui-ci, quand il réalise en 1957 *Un amour de poche*, le fait d'après un scénario de France Roche qui, elle-même, a adopté une nouvelle de science-fiction de Waldemar Kaempfert. Pour *Le Bel Âge* (1958-59), association de trois courts métrages, Kast adapte une nouvelle d'Alberto Moravia, *Un vieil imbécile*, dans le premier épisode et signe le scénario des deux autres avec Jacques Doniol-Valcroze. Ce dernier écrit lui-même le scénario de *L'Eau à la bouche*, qu'il réalise en 1960, comme celui du *Cœur battant* (1961).

On voit donc que la configuration souhaitée par Alexandre Astruc et par Truffaut dans leurs articles programmatiques est loin d'être dominante. Ce qui caractérise toutefois ces adaptations, c'est que le rôle du réalisateur dans l'élaboration de la phase scénaristique est plus net et plus actif que dans le cinéma de la période antérieure, celui de Marcel Carné, Claude Autant-Lara et Yves Allégret. Pris dans l'ensemble, les scénarios de la Nouvelle Vague sont plus personnels et souvent plus autobiographiques que ceux de la « qualité française ». Mais c'est dans la mise en scène, le rapport au personnage, les références sérieuses ou ironiques – mais de caractère privé – que cette subjectivité s'inscrit. La narration des films Nouvelle Vague est rarement une narration impersonnelle, et c'est d'ailleurs ce qui irrite les critiques favorables au récit classique, comme certains spectateurs n'acceptent la visibilité des interventions de l'auteur que dans certains genres précis : le burlesque, le policier parodique.

Les adaptations de romans et de nouvelles ou de pièces de théâtre ne disparaissent pas pour autant comme le démontrent les statistiques suivantes :

1956	Trois ans avant la Nouvelle Vague, sur 91 films français réalisés, on trouve 52 scénarios originaux, 29 adaptations de romans et de nouvelles et 10 pièces de théâtre.
1959	Sur 105 films, 54 scénarios originaux, 43 adaptations de romans et de nouvelles, 6 pièces de théâtre et 2 documentaires.
1960	Sur 123 films, 71 scénarios originaux, 46 adaptations de romans et de nouvelles, 5 pièces de théâtre, 1 ballet.
1961	Sur 105 films, 61 scénarios originaux, 38 adaptations de romans et de nouvelles, 4 pièces de théâtre, 2 sujets inspirés de bandes dessinées.
1963	Sur 88 films, 36 scénarios originaux, 45 adaptations de romans et de nouvelles, 6 pièces de théâtre et 1 remake.

Les pourcentages de scénarios originaux augmentent légèrement de 1959 à 1961, mais ces variations ne sont pas très significatives.

Les cinéastes, les producteurs et les scénaristes continuent donc à adapter des romans, mais on adapte moins Émile Zola ou Stendhal que dans les années 1950, cette pratique étant relayée par les dramatiques télévisuelles qui se développent pendant cette période. On passe du modèle naturaliste dominant chez René Clément avec *Gervaise* ou chez Yves Allégret au modèle balzacien, mais très transposé, chez Rivette (*Out One spectre* est inspiré de *L'Histoire des treize*, *La Belle Noiseuse* du *Chef-d'œuvre inconnu*), également chez Truffaut et Chabrol qui citent le romancier dans *Les Quatre Cents Coups* et dans *Les Cousins*. Le modèle naturaliste privilégie les films à costumes, les conflits sociaux de classe, et un fort typage des personnages, voisin du stéréotype. Le modèle balzacien joue plus souvent sur une description critique de la société contemporaine, en soulignant les contradictions qui organisent les antagonismes tant psychologiques que sociaux.

Dans un certain sens, la Nouvelle Vague est plus une relève de génération de scénaristes qu'une promotion exclusive des réalisateurs auteurs. Les filmographies exhaustives de Paul Gégauff et de Jean Gruault révèlent l'importance de ces deux auteurs dans la production du mouvement. Par exemple, après avoir travaillé avec l'un des « maîtres » de la Nouvelle Vague, Roberto Rossellini, Jean Gruault a collaboré aux scénarios de Godard (*Les Carabiniers*), de Rivette (*Paris nous appartient*, *La Religieuse*), de Truffaut (*Jules et Jim*, *Les Deux Anglaises*, *L'Enfant sauvage*, *La Chambre verte*), d'Alain Resnais (*Mon Oncle d'Amérique*, *La Vie est un roman*, *L'Amour à mort*). Gruault donne un témoignage fort documenté et personnel de sa collaboration avec Rossellini, Truffaut, Rivette et Resnais dans son livre *Ce que dit l'autre* (Julliard, 1992).

3. Le scénario-dispositif

En fait, il faudrait opposer deux conceptions du scénario, telles que les définit Francis Vanoye dans *Scénarios modèles, modèles de scénario* : le « scénario-programme » qui organise des péripéties en une structure prête à être tournée, et le « scénario-dispositif », ouvert aux aléas du tournage, aux rencontres, aux idées de l'auteur surgissant dans l'ici et le maintenant. Il est évident que l'idéal de la Nouvelle Vague, c'est le scénario-dispositif, que Godard va amplifier au fur et à mesure que sa carrière se développe.

Mais si le scénario-programme domine le cinéma « classique », il est loin d'être absent des films de la Nouvelle Vague puisqu'il gouverne aussi bien les tournages d'Agnès Varda ou d'Alain Resnais que de Jacques Demy.

Les films de Truffaut et de Chabrol oscillent d'un pôle à l'autre mais avec une nette domination du scénario-programme.

Si le scénario-dispositif est un idéal que la Nouvelle Vague va souvent tenter d'atteindre, il règne en maître dans la démarche esthétique de Jean Rouch et de Jacques Rozier. Les expériences de Rouch, même les moins convaincantes quant au résultat obtenu, ne cessent de hanter l'imaginaire créatif de Godard, Rivette et Rohmer. Au début de *La Pyramide humaine*, Rouch assis dans l'herbe explique aux jeunes lycéens qu'il a réunis que ce sont eux qui vont écrire le « scénario » du film en même temps qu'il le réalisera. Dans *La Punition*, le réalisateur « lâche en liberté » une jeune actrice à qui il a demandé de jouer le rôle d'une lycéenne exclue une matinée de sa classe par son professeur et qui va rencontrer trois hommes en flânant au jardin du Luxembourg. Si, dans une situation analogue, Godard avait écrit de manière très personnelle le dialogue des protagonistes, et surtout celui du garçon, dans *Tous les garçons s'appellent Patrick*, Rouch, au contraire, laisse les siens totalement improviser leurs répliques. Cette démarche est également celle de Jacques Rozier, partiellement dans *Adieu Philippine* et plus franchement dans *Du côté d'Orouet*, et bien plus tard, elle sera adoptée par Jacques Rivette dans *Céline et Julie vont en bateau* et plus radicalement par Éric Rohmer dans *Le Rayon vert*.

C'est cette stratégie narrative que Jacques Rivette a fort bien commentée lors d'un entretien, après la réalisation de *L'Amour fou*, sorte de manifeste du scénario-dispositif :

> « Autrefois, dans une tradition dite classique du cinéma, la préparation d'un film consistait d'abord à rechercher une bonne histoire, à la développer, à l'écrire et à la dialoguer ; à partir de ça, à chercher des comédiens qui correspondraient aux personnages, à mettre en scène, etc. C'est une chose que j'ai faite deux fois, avec *Paris nous appartient* et *La Religieuse*... Ce que j'ai essayé de faire depuis, après beaucoup d'autres en suivant les précédents de Rouch, de Godard, etc., c'est plutôt de tâcher de trouver (je pars de l'envie de tourner avec tel ou tel comédien) un principe générateur qui ensuite, *comme* de lui-même (je souligne le comme), se développerait de façon autonome, et engendrerait une production filmique dans laquelle on pourrait, après, découper en quelque sorte, ou plutôt « monter » un film destiné à être projeté à des spectateurs éventuels » (*La Nouvelle Critique*, n° 63, avril 1973, entretien avec Bernard Eisenschitz, J. A. Fieschi, Eduardo De Grégorio, p. 67-68).

La dramaturgie des films que Rivette réalise alors comme *Out One spectre* et *Céline et Julie vont en bateau* est directement issue de ces principes, tout comme ses films ultérieurs des années 1980, du *Pont du Nord* (1981) à *Haut, bas, fragile* (1995).

C'est dans ces limites de la **fiction improvisée** que se situe la spécificité la plus marquée de la démarche créatrice de la Nouvelle Vague, aux antipodes absolues du scénario-programme. Elle débouche sur ce qu'on a appelé, en 1960, « le cinéma-vérité », à propos de *Chronique d'un été* de Jean Rouch et d'Edgar Morin (voir chapitre 3, p. 57). Mais la démarche de ce film est moins significative car elle s'inscrit dans le registre du film-enquête et non du récit de fiction comme *La Punition*, véritable matrice esthétique des films de Rivette et de Rohmer des années 1970 et 1980.

4. Les techniques d'adaptation, le rapport à l'écriture

S'ils ont dénoncé une certaine conception de l'adaptation en vigueur dans les années 1950, celle qui transformait les romans de Stendhal ou d'André Gide en ancêtres de feuilletons télévisés, les réalisateurs de la Nouvelle Vague n'ont pas pour autant renoncé à s'inspirer des récits littéraires qui les passionnaient, bien au contraire. Mais leur pratique de l'adaptation est radicalement différente. La plupart de leurs films ne cherchent pas à dissimuler l'origine littéraire du récit et ne tentent pas de substituer aux épisodes considérés comme anticinématographiques des « équivalences » plus visuelles.

Deux films ont montré la voie : *Le Silence de la mer*, mis en image par Melville, très fidèle au texte de Vercors puisque le film est fondé sur le récit en voix off du narrateur (l'oncle de la jeune fille interprété par Jean-Marie Robain) et *Le Rideau cramoisi*, une nouvelle de Barbey d'Aurevilly, adaptée par Alexandre Astruc. Dans les deux cas, mais pour des raisons différentes, l'un des protagonistes refuse la parole (dans les deux films, il s'agit des deux jeunes femmes), et le cinéaste offre cette même parole au narrateur masculin qui commente le récit en voix off. Astruc, évoquant son adaptation, parle de « filmer grandeur nature un texte » et précise qu'il entendait scrupuleusement respecter celui de Barbey. Adaptant *Une vie*, de Maupassant, il intègre des fragments de commentaire en voix off, lorsque la voix de l'héroïne, Jeanne, interprétée par Maria Schell, décrit sa rencontre avec l'homme qu'elle va épouser.

Truffaut est fidèle à la même stratégie lorsqu'il adapte la nouvelle de Maurice Pons, *Les Mistons*. Tout au long de ce lumineux court métrage, la voix d'un narrateur extérieur (l'acteur Michel François) commente les escapades des « mistons » dans un style très élégant et très littéraire, puisque c'est le texte même de l'écrivain. La richesse du film réside précisément dans le rapport établi entre ce texte nostalgique, énoncé *a posteriori*, et les péripéties que nous montre l'image où l'on n'entend que des lambeaux de dialogues spontanés énoncés avec l'accent du Gard. Adaptant quelques années plus tard Henri-Pierre Roché, Truffaut construit la bande sonore de *Jules et Jim* à partir de larges plages de commentaires dits en voix off par Michel Subor (l'acteur du *Petit Soldat*), alternant avec la musique de Georges Delerue. Cette énonciation verbale du texte submergeant la bande filmique est encore plus manifeste dans *Les Deux Anglaises et le continent*. C'est, pour le réalisateur, une manière de rendre hommage à l'auteur qu'il adapte, de respecter la lettre de son texte.

Cette figure verbale sera l'une des constantes de la Nouvelle Vague, le réalisateur citant précisément le texte même de l'auteur qu'il adapte, comme par exemple des fragments du roman de Moravia (« J'avais souvent pensé que Camille pouvait me quitter... ») au centre de l'adaptation du *Mépris* proposée par Godard, ou bien accordant une large place au monologue intérieur lorsque le scénario est original et non adapté : Bruno Forestier dans *Le Petit Soldat*, les narrateurs rohmériens de *La Boulangère de Monceau* (« Paris, le carrefour Monceau... ») et de *La Collectionneuse*, ceux de Jean Eustache dans *Le Père Noël a les yeux bleus*. À l'origine de ce courant : la voix de Jean Rouch commentant *Les Maîtres fous*, et celle d'Oumarou Ganda interprétant Edward G. Robinson dans *Moi, un Noir* du même réalisateur.

La Nouvelle Vague généralise la **mise en scène de la voix.** Trois décennies après le passage au parlant, elle permet aux cinéastes d'exploiter toutes les potentialités apportées par la bande sonore et notamment la parole. Elle met en avant un cinéma qui n'a plus honte d'être parlant, périmant le mythe du primat de l'image que les théoriciens des années 1920 avaient imposé. Elle n'hésite pas à intégrer, comme l'avait fait René Clair dans *Sous les toits de Paris* et *Quatorze Juillet*, des chansons ou des musiques populaires, comme celles de Charles Aznavour (« Tu te laisses aller » dans *Une femme est une femme*, le madison dans *Bande à part*), de Jean Ferrat (« Ma môme » dans *Vivre sa vie*), de Boby Lapointe (« Framboise » dans *Tirez sur le pianiste*) ou de Serge Rezvani – alias Bassiak (le célèbre « Tourbillon » de *Jules et Jim*, chanté par Jeanne Moreau).

Alain Resnais, de son côté, a été l'un des documentaristes majeurs des années 1950 ; il a donc été un grand utilisateur de voix de commentaire : dans *Nuit et Brouillard*, le texte écrit par Jean Cayrol et dit par Michel Bouquet sur ces terribles images d'archives reste dans toutes les mémoires. Le cinéaste va également entièrement construire l'ouverture de ses deux premiers longs métrages sur des voix récitatives : celle d'Emmanuelle Riva, l'infirmière française de Nevers, sur les images des victimes de l'explosion atomique d'Hiroshima, et celle du bel amant à l'accent italien, interprété par Giorgio Albertazzi, qui arpente du regard les plafonds et les couloirs baroques de l'hôtel de Marienbad. Cette direction esthétique aboutit aux expériences durassiennes des années 1970, avec les voix off des narratrices féminines et néanmoins anonymes de *La Femme du Gange* (1974) et d'*India Song* (1975).

5. La sortie des studios et la redécouverte des lieux

L'acte décisif de la Nouvelle Vague, c'est avant tout de sortir le cinéma des studios. Par là même, elle s'inscrit dans le geste rossellinien, celui de *Rome ville ouverte*, de *Païsa* et de *Voyage en Italie*, qui donnait à voir un visage radicalement nouveau de la péninsule en montrant les quartiers populaires de Rome, les paysages des routes italiennes et les musées de Naples.

Dans *La Pointe courte*, Agnès Varda avait pris le parti de décrire en alternance régulière les rapports amoureux d'un couple au dialogue très littéraire et la vie quotidienne des pêcheurs du port, filmés dans les lieux où ils vivent et travaillent. On va retrouver dans les œuvres de la Nouvelle Vague cette mise en scène de la fiction au sein des lieux réels que le vocabulaire cinématographique a coutume de nommer les **décors naturels**. Ceux-ci ne sont évidemment pas choisis au hasard. Ce sont les lieux que les auteurs ont arpentés dès leur jeunesse. Cette inscription contribue fortement à accentuer la dimension autobiographique des œuvres.

Dans *Ascenseur pour l'échafaud*, on peut voir un film policier classique des années 1950 avec des décors de studio : l'intérieur de l'ascenseur où est enfermé le protagoniste principal et les intérieurs d'immeuble. Mais ce film alterne avec un film Nouvelle Vague avant la lettre, en offrant une description originale de Paris la nuit, de ses rues, ses cabines téléphoniques, lorsque l'on suit les déambulations muettes, mais ô combien musicales grâce à la trompette de Miles Davis, de Florence (c'est le nom du personnage) à la recherche de son amant. Louis Malle adopte ici la démarche de Melville qui filme Manhattan la nuit, décrivant le même type d'action (deux journalistes recherchent un témoin). Bien évidemment, le cinéaste est allé filmer la ville sur place, en décors naturels. Il s'agit de *Deux Hommes dans Manhattan*.

Quand il tourne *Le Beau Serge*, Chabrol va s'installer dans le village où il a vécu toute son adolescence, pendant les quatre années d'Occupation, village où il a découvert le cinéma, les jeunes filles et l'alcoolisme :

> « La topographie du village était déterminante. Je voulais que les spectateurs suivent les comédiens dans leurs allées et venues, qu'ils se reconnaissent dans les lieux, les chemins, les maisons. Pour cela j'ai impressionné des kilomètres de pellicule » (Claude Chabrol, *Et pourtant je tourne*, p. 140).

Dans *Les Cousins*, s'il reconstitue en studio le grand appartement de Neuilly, prêté par l'oncle, riche anthropologue toujours absent, dans lequel Paul (Jean-Claude Brialy) organise ses petites fêtes, Chabrol filme les rues de Paris, les Champs-Élysées traversés en voiture décapotable, les librairies du Quartier latin, la place Edmond-Rostand, et les locaux de la « corpo » de droit, témoignant de sa vie étudiante antérieure. La réussite des *Bonnes Femmes* tient en grande partie à l'authenticité de la vaste boutique de matériel électrique où s'ennuient à en mourir les quatre jeunes vendeuses, à celle des rues nocturnes, du concert Pacra, du jardin zoologique, de la piscine.

Toute l'action des *Quatre Cents Coups* se situe dans le quartier d'enfance de François Truffaut, le XVIIIe arrondissement et la place Clichy. Dans *La Peau douce*, Truffaut va jusqu'à tourner dans son propre appartement de la rue du Conseiller-Collignon lorsqu'il filme les rapports conjugaux entre le professeur conférencier (qu'incarne Jean Desailly) et sa femme.

À bout de souffle est un véritable portrait géographique du Paris de 1959, avec son petit hôtel pour touristes, l'hôtel de Suède, ses cafés, ses avenues comme celle des Champs-Élysées, filmée près des bureaux des *Cahiers du cinéma*, ses salles de cinéma, ses passages secrets, sa brasserie *La Pergola* à Saint-Germain-des-Prés et son studio de photographe de la rue Campagne-Première.

Si *Le Petit Soldat* et *Une femme est une femme* apparaissent tant comme des films personnels, c'est que le premier décrit Bruno Forestier à Genève et dans ses environs, sur le lac Léman, lieux de l'enfance du cinéaste. Dans *Une femme est une femme*, comédie musicale haute en couleur, il filme sa femme dans son appartement, rue du Faubourg-Saint-Denis. Le film est un très beau documentaire en cinémascope sur les grands boulevards, la porte Saint-Denis, les cafés du quartier et ses cabarets populaires.

Même une fable aussi abstraite que *Les Carabiniers*, située dans un pays imaginaire, quelque part près du royaume d'Ubu, tire sa force de son inscription dans les terrains vagues de Rungis et dans le *no man's land* de la grande région parisienne.

Le titre du premier long métrage de Rivette affiche de lui-même le programme de la Nouvelle Vague : *Paris nous appartient*. En le réalisant, Rivette nous offre un arpentage de Paris tout à fait singulier, renouant avec la démarche d'un Feuillade filmant le Paris désert de 1915 dans *Les Vampires* ou d'un René Clair avec *Paris qui dort* (1924). On y voit les toits du théâtre Sarah-Bernhardt, la rue des Cannettes, la place de la Sorbonne, le pont des Arts, un hôtel bien modeste où loge le journaliste américain qui a fui le maccarthysme, des chambres de bonne, celle où vit la jeune provinciale, de nombreux escaliers et combles d'immeubles qui accentuent l'aspect labyrinthique du récit. Le Paris de Rivette est un dédale obscur où se développent des complots, ceux de l'Organisation, lucide prémonition de l'Organisation armée secrète (OAS). Tous les personnages se sentent menacés. Le climat du film évoque la chasse aux sorcières aux États-Unis, la révolution écrasée sous les chars à Budapest, mais le film donne aussi une description assez remarquable de l'ambiance intellectuelle de la IVᵉ République finissante, avec ses complots politiques et militaires sur fond de guerre d'Algérie. Le personnage du jeune metteur en scène idéaliste et paranoïaque (il est quand même assassiné à la fin du récit) s'efforce de monter son *Périclès* pendant que les polices parallèles s'activent dans l'ombre, comme dans un film policier de Fritz Lang, sous le regard du Dr Mabuse.

Avec son premier long métrage, Éric Rohmer pousse encore plus loin cette tendance descriptive issue du documentaire que l'on trouve toujours dans les films de la Nouvelle Vague. En effet, le personnage principal du *Signe du lion* n'est pas le peintre américain raté et vaguement bohème auquel Jess Hahn prête sa lourde silhouette, mais c'est plutôt la capitale au mois d'août, les quais de la Seine, les petits hôtels du Quartier latin, le métro et les rues de banlieue. Malgré l'échec de ce film, Rohmer radicalise encore sa démarche lorsqu'il entreprend les premiers contes moraux. *La Boulangère de Monceau* précise le quartier de la fiction dès son titre, et l'exposition du film est une présentation maniaque de la topographie urbaine où va déambuler le narrateur. Celui-ci ne va pas nous épargner le moindre nom de rue, carrefour, passage clouté. Le sujet du film est d'ailleurs là puisqu'il s'agit d'un trajet jusqu'à la boulangerie, qui est aussi évidemment une trajectoire morale.

Quelques années plus tard, c'est une villa isolée de Ramatuelle qui va accueillir la retraite monacale de l'agent de galerie de peinture qui décide de se consacrer à la méditation intérieure, loin des tentations féminines, jusqu'à la rencontre malencontreuse d'une *Collectionneuse* bien provocante.

Le film qui inscrit explicitement ce primat du lieu est, dans un certain sens, le second manifeste cinématographique de la Nouvelle Vague que produit Barbet Schroeder après la première phase de l'existence du mouvement (période 1959-1963). Il s'agit de *Paris vu par...* Jean Douchet, Jean Rouch, Jean-Daniel Pollet, Jean-Luc Godard, Éric Rohmer et Claude Chabrol, réalisé en 16 mm en 1965. Chacun des courts métrages qui composent ce film met au premier plan la topographie d'un lieu, et l'histoire racontée découle de la structure du quartier de Paris choisi. Le film le plus fidèle à ce programme est celui d'Éric Rohmer, *Place de l'Étoile*, dont la fable est fondée sur la non-coordination des feux rouges qui encerclent la place de l'Étoile et gouvernent le trajet des piétons franchissant les passages cloutés.

6. Les techniques d'enregistrement

Du choix des sujets et de leur intégration dans un lieu naturel découlent toute une série de conséquences plus strictement techniques. Les films de la Nouvelle Vague ont généralisé les équipes légères, très inférieures aux normes imposées par les syndicats de l'époque. D'où une forte résistance des corps de métiers traditionnels, notamment des décorateurs et des personnels de studio. D'où également le développement d'un discours très critique sur l'absence de professionnalisme, l'incompétence notoire des réalisateurs et sur le caractère prétendument bâclé de leurs œuvres. Ce discours s'est particulièrement déchaîné contre les premiers films de Godard, qui n'hésitait pas à provoquer les spectateurs et les critiques en cadrant, par exemple, la conversation d'un couple assis au comptoir d'un bar, pris de dos pendant plusieurs minutes (début de *Vivre sa vie*).

> « La Nouvelle Vague est une école de critiques qui se lancent le défi de mettre la main à la pâte. C'est un *cinéma pour voir si l'on est capable de faire du cinéma...* C'est un cinéma de l'amateurisme qu'ils [*les*

> *cinéastes de la NV*] promulguent. Un cinéma où l'incompétence, si elle n'est de règle, est adoptée comme clause de style. Infiltrés dans une production techniquement surfaite, les films faits à la diable ont un moment surpris le public qui leur a attribué, à juste titre, un certain don de fraîcheur. L'incompétence surmontée (sans doute à contrecœur), puis remplacée par un constat de virtuosité, on remarquera bien vite chez quelqu'un comme Chabrol une irrémédiable dégradation de la sincérité. Qu'un metteur en scène de la Nouvelle Vague acquière du métier, et sa désinvolture de base fait long feu, elle devient grimace. M. Godard, au stade actuel de sa carrière, ne fait plus du cinéma, il cherche tout au plus à *n'avoir pas trop l'air d'en faire* [souligné dans le texte] » (Robert Benayoun, « Le roi est nu », *Positif*, n° 46, juin 1962, « Feux sur le cinéma français »).

Certains des nouveaux auteurs sont également allés dans le même sens sous prétexte de minimiser la technique. Ainsi, Chabrol se complaît à rappeler qu'il n'avait aucune expérience lors du premier jour de tournage du *Beau Serge* : « Rabier (le chef opérateur) m'invite à regarder dans le viseur de la caméra. Je place mon œil... et je ne vois rien du tout. Gentiment, Rabier m'explique que je suis en train de regarder dans un boulon... Trois jours de retard, pendant la première semaine de tournage. J'ai fait toutes les erreurs possibles. » Par ailleurs, Chabrol ne cesse de répéter que la technique s'apprend en une demi-journée : « Tout ce qu'il faut savoir pour mettre en scène n'importe quel film peut s'apprendre en quatre heures. Les études de l'IDHEC devraient durer une demi-journée » (*Arts*, 19 février 1958).

Cette absence de formation initiale a été beaucoup exagérée par la suite. Le fait dominant est que la plupart de ces réalisateurs n'ont pas suivi le cursus traditionnel de l'assistanat. Mais ce point demande également à être souvent relativisé. Truffaut s'est exercé avec un film en 16 mm, *Une visite*, avant de se lancer dans le tournage des *Mistons*. Godard, Rivette et Rohmer ont tourné ensemble des films de ce format substandard dès le début des années 1950. Godard a réalisé un film de commande industrielle *Opération béton*, et a collaboré aux réalisations de Pierre Schoendoerffer tout en montant des films touristiques pour *Connaissance du monde*. Jacques Rozier est diplômé de l'IDHEC comme Louis Malle. Jacques Demy est diplômé de l'école Louis-Lumière et a été assistant du cinéaste d'animation Paul Grimault et du documentariste Georges Rouquier. Agnès Varda était une photographe professionnelle quand elle s'est lancée dans l'aventure de *La Pointe courte*. On pourrait ainsi multiplier les exemples.

Pourtant, cette légende confortait le mythe romantique de la création. Elle convenait à la presse qui pouvait l'exalter si les films lui plaisaient ou bien, dans le cas contraire, s'appuyer sur elle pour dénoncer des imposteurs.

Ces jeunes réalisateurs ont été soutenus et épaulés par des **chefs opérateurs**. Deux noms sont à retenir, ceux de Henri Decae et de Raoul Coutard, techniciens plus ouverts que leurs confrères.

Henri Decae a d'abord été reporter photographe, puis ingénieur du son et monteur son. Il réalise également lui-même des courts métrages avec des petits moyens lorsqu'il accepte d'éclairer le film de Jean-Pierre Melville *Le Silence de la mer*, dont il assure aussi le montage et le mixage. Il collaborera encore avec Melville pour *Les Enfants terribles* et l'image qu'il signe pour *Bob le flambeur* le fait remarquer des jeunes critiques. Louis Malle réalise avec lui ses deux premiers films, puis avec Chabrol, ses trois premiers longs métrages.

> « Comme directeur de la photo, j'ai pensé à Henri Decae dont j'avais admiré la facture dans *Bob le flambeur*. Il avait de la peine à s'employer à cette époque. Il était un peu boycotté pour avoir collaboré à un film sur la guerre de Corée » (Chabrol, *op. cit.*, p. 139).

Truffaut l'engage pour *Les Quatre Cents Coups*. Sa collaboration avec Chabrol et Malle lui a donné un statut très professionnel, et c'est lui qui touchera le plus gros salaire pour ce premier long métrage des Films du Carrosse : « Avec son noir et blanc contrasté, son goût de l'éclairage naturel et sa grande rapidité de travail, Decae est un collaborateur idéal pour Truffaut qui éprouve sans doute le besoin d'être rassuré sur le plan technique », nous précisent les biographes du réalisateur (De Baecque/Toubiana, p. 190). Cela amènera Decae à travailler avec le « grand professionnel » René Clément à partir de *Plein Soleil*. Henri Decae est donc un opérateur qui accepte de s'adapter aux conditions de réalisation les plus précaires comme les plus audacieuses, et c'est lui qui libère la caméra de l'emprise du pied fixe. Il a rendu la Nouvelle Vague techniquement possible, secondant Melville, Malle, Chabrol et Truffaut.

Raoul Coutard s'est engagé en mai 1945 dans le corps expéditionnaire français d'Extrême-Orient et a servi cinq ans et demi en Indochine. Il a été ensuite reporter et photographe de guerre pour *Paris-Match* et *Life* et la revue *Indochine Sud-Est-Asiatique*. C'est en Indochine qu'il a rencontré Pierre Schoendoerffer qui l'engage comme opérateur pour ses adaptations de Loti produites par de Beauregard. Il est alors rompu aux techniques du reportage, a une grande maîtrise de la caméra portée à la main et se contente de l'éclairage naturel quand il n'y a rien d'autre. C'est Georges de Beauregard qui l'impose à Godard pour *À bout* *de souffle*, et d'une certaine manière, leur rencontre sera providentielle. Coutard s'adapte aussitôt aux conditions très particulières du réalisateur qui multiplie les handicaps techniques : filmer deux acteurs dans une petite chambre d'hôtel avec un minimum d'éclairage, les suivre sur les Champs-Élysées, la caméra dissimulée dans un triporteur de livraison des postes : « Il m'avait dit "imaginez que c'est un reporter qui suit les personnages". On devait donc être léger, mobile, prêt à se planquer quand on tournait dans la rue » (Coutard, *La Nouvelle Vague vingt-cinq ans après*, 1983). Raoul Coutard va faire dix films avec Godard jusqu'à *Week-end* (puis plus tard *Prénom Carmen*). Il va également signer l'image de quatre longs métrages de Truffaut, de *Tirez sur le pianiste*, *Jules et Jim*, *La Peau douce* à *La Mariée était en noir*. C'est lui qui surexpose en blanc l'image lumineuse de *Lola* à la demande expresse de Jacques Demy.

On peut dire qu'avec les dix films qu'il éclaire pour Godard dans les années 1960, Raoul Coutard révolutionne totalement les valeurs plastiques du cinéma français, son style d'éclairage et son esthétique visuelle. Cette **nouvelle image** est également le fruit de l'évolution des techniques. Des émulsions rapides et plus sensibles existent mais elles sont utilisées en photographie de reportage et non par les chefs opérateurs de films. C'est, pour prendre un équivalent photographique, le style « Harcourt » qui domine l'esthétique visuelle du cinéma français des années 1950.

Afin de s'adapter aux exigences esthétiques formulées par Godard, Raoul Coutard utilise une **nouvelle pellicule**, l'Ilford HPS, auparavant exclusivement réservée à la photographie fixe. Il se sert d'une caméra Cameflex, dont les perforations sont voisines du Leica, afin de pouvoir impressionner les bandes de 17,50 mètres qu'il colle bout à bout. À la demande de Godard, il intervient sur les bains de développement pour doubler la sensibilité de la pellicule. (Il apporte un témoignage très détaillé sur ces innovations dans un entretien publié dans le *Nouvel Observateur* du 22 septembre 1965.) Le but de ces « trouvailles » est de pouvoir tourner très vite, de ne pas entraver le déplacement des acteurs pour mieux capter l'environnement.

Chaque nouveau film de Godard/Coutard est une expérience visuelle originale. Ainsi, pour *Les Carabiniers*, Godard tente de retrouver un certain contraste qui caractérisait le cinéma muet, il joue sur le choix de la pellicule, le maquillage des acteurs, le traitement photographique des archives qu'il insère dans son montage. La critique comprend mal cette démarche et attaque très violemment le film sous le prétexte du bâclage et de la désinvolture technique. Piqué au vif, Godard répond à ces remarques fort malveillantes en apportant toutes les précisions techniques qui démontrent au contraire sa maîtrise du processus technique et son perfectionnisme quasi maniaque quand il s'agit de respecter le son exact des détonations de mitraillettes :

> *La Croix* (Jean Rochereau) : « Ce ne sont que plans filmés à la diable, montés vaille que vaille, truffés de faux raccords. »
> Jean-Luc Godard : « Nous avons tourné quatre semaines pendant un hiver qui nous incitait à la rigueur, et, du scénario au mixage, tout s'est déroulé sous ce signe. Le son en particulier, grâce aux ingénieurs Hortion et Maumont, a été spécialement travaillé. Chaque fusil, chaque explosion ont été enregistrés séparément, puis remixés, alors qu'il était facile de les acheter à Zanuck. Chaque avion possède son véritable bruit de moteur, et nous n'avons jamais mis un ronflement de Heinkel sur une rafale de Spitfire. Pas davantage une rafale de Beretta quand on voit une mitraillette Thomson. Le montage a duré plus longtemps que celui de *À bout de souffle*, et le mixage ressemble à ceux de Resnais et Bresson. La musique fut enregistrée à la très sérieuse Schola Cantorum. Quant aux faux raccords, il y en a un, superbe, émouvant, eisensteinien, dans une scène où l'un des plans sera d'ailleurs pris directement dans le *Potemkine*. On voit en plan général un sous-officier de l'armée royale enlever la casquette à une jeune partisane aussi blonde que les blés de son kolkhose. Dans le plan d'après, en gros, on revoit le même geste. Et alors ? Qu'est-ce qu'un raccord sinon le passage d'un plan à l'autre ? Ce passage peut se faire sans heurt – et c'est le raccord mis à peu près au point en quarante ans par le cinéma américain et ses monteurs qui, de films policiers en comédies, et de comédies en westerns, ont instauré et raffiné le principe du raccord précis sur le même geste, la même position, afin de ne pas rompre l'unité mélodique de la scène ; bref, un raccord purement manuel, un procédé d'écriture. Mais on peut également passer d'un plan à l'autre, non pour une raison d'écriture, mais pour une raison dramatique, et c'est le raccord d'Eisenstein qui oppose une forme à l'autre, et les lie indissolublement par la même opération. Le passage du p. g. au g. p. devient alors celui du mineur au majeur en musique par exemple, ou vice versa. Bref, le raccord, c'est une sorte de rime, et il n'y a pas de quoi faire des batailles d'Hernani pour des escaliers à dérober. Il suffit de savoir quand, où, et comment » (Jean-Luc Godard, « Feu sur *Les Carabiniers* », *Les Cahiers du cinéma*, n° 146, août 1963).

Le réalisateur expose avec suffisamment de clarté ses partis pris esthétiques pour qu'il ne soit pas nécessaire d'épiloguer outre mesure. La référence à Eisenstein, fondamentale pour l'esthétique des *Carabiniers*, met l'accent sur la redécouverte du montage qu'opèrent alors les auteurs de la Nouvelle Vague, et plus particulièrement parmi eux, Godard, Resnais, Rivette et Rozier.

7. Le montage

C'est la pratique technique la plus visible pour le critique et le spectateur. Elle « saute aux yeux », pour ainsi dire. Avec *Hiroshima mon amour*, Resnais fonde son récit sur la discontinuité des plans, l'émergence progressive du souvenir qui apparaît par images brèves, puis par séries. Il alterne les images du présent à Hiroshima et celles du passé à Nevers. La dernière partie du film est une véritable partition moderne structurée sur la musique de Giovanni Fusco où se mêlent de manière de plus en plus inextricable la voix d'Emmanuelle Riva, les travellings sur les rues nocturnes de la ville japonaise et les panoramiques sur les murs brumeux et gris de Nevers. Jean-Luc Godard va être l'un des premiers à retenir cette leçon. Dès *À bout de souffle*, il détruit les règles de la composition classique, privilégie un montage syncopé dans les séquences d'action (la fuite en voiture au début du film) comme dans les moments dialogués (quand Poiccard commente la nuque de Patricia pendant leur trajet en voiture). Mais, dans une tout autre direction, il opte à certains moments pour le plan séquence rectiligne (la rencontre sur les Champs-Élysées) ou circulaire (la discussion finale dans l'appartement de la rue Campagne-Première). Il n'hésite pas, comme nous l'avons indiqué, à développer une séquence jusqu'à trois ou quatre fois sa durée traditionnelle, dans la partie centrale du film lors de la longue conversation entre Michel et Patricia dans la chambre d'hôtel. Ce développement ne s'embarrasse pas des contraintes conventionnelles fondées sur la continuité des raccords. Ces règles étaient devenues absurdes. Godard les transgresse avec allégresse et inaugure ainsi le montage moderne en retrouvant l'invention poétique des grands monteurs du cinéma soviétique des années 1920.

Mais il ne s'enferme jamais dans une rhétorique étroite. Dès *Le Petit Soldat*, ses innovations passent par de longs panoramiques « filés » (c'est-à-dire très rapides, passant d'un cadre à un autre), procédés qui à l'époque hérissaient les techniciens du cinéma conventionnel, parce qu'ils relevaient du cinéma d'amateur. Avec *Vivre sa vie*, il explore les ressources du plan séquence mobile (Nana dans son magasin de disques) ou fixe (la lettre qu'elle écrit dans son cahier d'écolier) et du travelling latéral (la discussion initiale dans le bar).

Godard est certes le plus novateur, celui qui explore toutes les voies possibles de l'expression cinématographique. Mais Jacques Rivette et Jacques Rozier, chacun à leur manière, fondent également leur stylistique sur les pouvoirs du montage. L'un et l'autre enregistrent un très grand nombre de plans en son synchrone (voir plus loin), et c'est le montage qui organise ce matériel foisonnant qu'un scénario préalable ne pouvait ni décrire ni prévoir. Cette démarche suppose une grande confiance de la part du producteur, car elle est souvent expérimentale et peut se révéler coûteuse en termes de mètres de pellicule impressionnée. Elle aboutit souvent à des œuvres d'une durée très supérieure aux standards habituels, allant à l'encontre des impératifs commerciaux des exploitants. Le film phare de cette tendance est *L'Amour fou* que réalise Jacques Rivette à la fin de la décennie (1969). C'est une reprise magistrale de la structure de *Paris nous appartient*, sur un sujet assez voisin. Elle est fondée sur une alternance de longues séquences, les unes en 35 mm (l'évolution des rapports entre le metteur en scène, sa femme et ses partenaires) et les autres en 16 mm (une équipe de télévision enregistre les phases de la mise en scène théâtrale *d'Andromaque* que dirige Sébastien [J.-P. Kalfon]). Rivette poussera cette expérience plus loin encore avec les 12 heures et 40 minutes de *Out One* en 1971, qu'il réduira en version « courte » de 4 heures et 15 minutes (sous le titre *Out One spectre*). C'est encore une fois Jean Rouch qui avait ouvert cette voie avec ses films ethnographiques comme la série des *Siguis*, où il enregistre sur une durée de huit ans les cérémonies soixantenaires des Dogons de la falaise de Bandiagara au Mali (de 1966 à 1973). Sans ces films très longs, Eustache n'aurait jamais tenté le pari de durée exceptionnelle de *La Maman et la Putain* (3 heures et 40 minutes avec un nombre de plans assez réduits, car ils sont souvent eux-mêmes très longs).

Mais c'est aussi dans le domaine du son que la Nouvelle Vague innove.

8. Le son synchrone

Le débat esthétique tourne essentiellement autour de la question de la post-synchronisation. L'un des cinéastes les plus admirés des nouveaux auteurs est **Jean Renoir**. Or, celui-ci a des idées très personnelles quant à l'enregistrement du son et des dialogues de film. C'est un partisan inconditionnel depuis 1930 du « son direct », c'est-à-dire du son enregistré au même moment que l'image. Cette pratique est très difficile à mettre en œuvre avec l'enregistrement optique, très lourd et très contraignant, qui limite considérablement le mixage. Mais Renoir, intraitable sur ce point, préfère sacrifier la précision de la définition sonore à son authenticité. Depuis *On purge bébé* et surtout *La Chienne*, il enregistre le son de ses films selon cette pratique du « direct ». Mais il est l'un des rares metteurs en scène à le faire, avec Marcel Pagnol qui a le même type d'exigences.

Au cours des années 1950, malgré la généralisation de l'enregistrement magnétique qui offre des possibilités nouvelles, la pratique de la post-synchronisation règne en maître sur les habitudes techniques. De plus, à la fin des années 1950, le son direct demande toujours des conditions d'enregistrement lourdes et onéreuses, contradictoires avec les petits budgets des films Nouvelle Vague.

Cela explique que toutes les premières œuvres de Chabrol, Truffaut, Godard, Rivette et Rohmer sont post-synchronisées. Certaines d'entre elles ont même été tournées sans « son-témoin » (c'est-à-dire comme un film muet) par mesure d'économie, comme par exemple *À bout de souffle*.

Outre Renoir, un autre cinéaste va alors servir de référence, surtout à Jean-Luc Godard, l'un de ses plus fervents admirateurs. Il s'agit encore une fois de Jean Rouch. Celui-ci réalise, depuis la fin des années 1940, des courts métrages de caractère ethnographique en 16 mm, qu'il post-synchronise la plupart du temps, faute de moyens et de matériel technique adéquat. Mais en 1958, il se lance dans l'expérience de *Moi, un Noir*, film de fiction semi-improvisé joué par des acteurs africains auxquels il demande de se doubler avec une grande liberté après le tournage. Ce doublage est même réalisé dans un studio radiophonique (voir Maxime Scheinfeigel, « Éclats de voix », *Admiranda* n° 10, 1995). Godard sera subjugué par la liberté du monologue intérieur du protagoniste principal et par l'efficacité émotionnelle d'une post-synchronisation des dialogues très aléatoire. Il s'inspire alors de cette démarche en post-synchronisant d'abord *Charlotte et son Jules*, où il a l'audace de doubler lui-même Jean-Paul Belmondo, puis *À bout de souffle*, avec la même liberté et la même désinvolture apparente.

Avec *Le Petit Soldat* et *Une femme est une femme*, il prolonge ses recherches sur la post-synchronisation, en jouant la carte du journal intime en voix intérieure pour le premier titre et, tout au contraire, en multipliant les trouvailles musicales et vocales dans la comédie en scope couleurs, grâce à une partition particulièrement inventive de Michel Legrand.

Mais pendant cette période, les innovations techniques rattrapent les expériences créatives. La synchronisation de l'enregistrement image et son devient plus facile grâce à de nouveaux magnétophones, comme le Nagra. Ces progrès sont utilisés par la télévision et par le cinéma de reportage. C'est encore une fois Jean Rouch qui montre la voie en réalisant, en collaboration avec le sociologue Edgar Morin, *Chronique d'un été* (1961), long métrage d'enquête qui devient le manifeste du «cinéma vérité». Le film, tourné en 35 mm avec une caméra légère, est évidemment enregistré en son direct. Aussitôt que la technique le lui permet, Godard transposera cette prise de son «directe» dès *Vivre sa vie* (1962) qui est d'une certaine manière un «film-enquête» sur la vie d'une prostituée parisienne. Après ce film, il réalise tous ses longs métrages en son direct, et cette technique devient inséparable de sa démarche de «metteur en son».

Cette recherche d'authenticité et de liberté d'action des acteurs trouve son point d'aboutissement dans le premier long métrage de Jacques Rozier, disciple le plus direct du cinéma de Jean Renoir. Avec *Adieu Philippine*, la Nouvelle Vague trouve le chef-d'œuvre de naturel que les jeunes critiques des *Cahiers du cinéma* rêvaient de voir apparaître. Et pourtant le film a dû être post-synchronisé par Rozier bien que celui-ci ait enregistré du son direct au moment du tournage. Le son obtenu, enregistré avec des moyens de fortune sur un magnétophone portable, n'était pas suffisamment audible et, de plus, non synchrone. Les dialogues ayant été improvisés par les trois jeunes acteurs non professionnels, Rozier a dû retranscrire intégralement le matériel enregistré et procéder à une très longue post-synchronisation ainsi qu'à un montage particulièrement difficile en raison de la longueur de pellicule impressionnée (un dossier très complet sur les péripéties du montage et de la post-synchronisation du film a été publié dans le n° 148 des *Cahiers du cinéma*, «Le dossier Philippine», par Nicole Zand, en octobre 1963).

Ainsi, certains films majeurs dans l'histoire des formes voient le jour dans des conditions peu propices à la création. C'est le cas d'*Adieu Philippine* qui n'est distribué que trois ans après sa réalisation (film commencé le 7 août 1960 et terminé en janvier 1962) et n'a qu'un succès public très médiocre (sortie le 25 septembre 1963 au cinéma La Pagode). Il aura cependant une influence considérable sur l'évolution esthétique du cinéma français. Cet échec commercial entrave la carrière ultérieure du cinéaste qui ne pourra réaliser son long métrage suivant qu'en 1970, mais cette fois en 16 mm et avec du matériel sonore parfaitement synchrone : *Du côté d'Orouet* (1970).

5

Des thèmes et des corps nouveaux : personnages et acteurs

Les films de la Nouvelle Vague n'auraient pas rencontré un tel écho critique et public s'ils n'avaient abordé des thèmes nouveaux, ni parlé de la société française autrement que le cinéma antérieur. Il est bien sûr absurde de vouloir définir en quelques pages les thèmes communs à des cinéastes qui ont défini eux-mêmes leur œuvre comme un mode d'expression personnel. Il y a donc autant d'univers particuliers que d'auteurs réalisateurs. On peut cependant proposer quelques points communs qui ont été retenus par la critique de l'époque comme « image de marque » du mouvement. On verra que ces points communs ne concernent que les aspects les plus extérieurs de ces films, films souvent les plus futiles comme *Le Bel Âge* ou *L'Eau à la bouche*, qui sont plus des symptômes que des œuvres importantes. Mais cela correspond bien à la Nouvelle Vague vue par ses détracteurs. C'est pourquoi ce sujet mérite d'être abordé, même brièvement. Si elle s'était réduite à ces seuls films, la Nouvelle Vague n'aurait pas influencé à ce point l'histoire du cinéma.

1. Marivaudage et « saganisme[1] » : d'Astruc à Kast et Doniol-Valcroze

Jacques Siclier dans son bilan « à chaud » de la Nouvelle Vague, écrit en 1960, remonte aux *Mauvaises Rencontres* adapté d'un roman de Cécil

---

1. Voir la définition du « saganisme » proposée par F. Truffaut, p. 88, d'après l'univers des premiers romans de Françoise Sagan comme *Bonjour tristesse* (1954) et *Un certain sourire* (1957).

Saint-Laurent. Le film d'Astruc décrit l'aventure de deux jeunes provinciaux (Giani Esposito et Anouk Aimée) qui viennent à Paris pour avoir leur nom dans les journaux : « Une méditation sur la découverte de Paris par deux jeunes provinciaux, l'arrivisme, la jouissance du succès, le portrait d'une jeune femme de notre époque, fragile et décidée », précise plus tard l'auteur dans ses mémoires (*Le Montreur d'ombres*). Le jeune homme abandonne très vite la lutte, après qu'on lui a refusé plusieurs articles. Il reprend le train vers sa province. Son amie, plus ambitieuse, reste et, à la suite d'une liaison avec le directeur d'un grand quotidien parisien (Jean-Claude Pascal), devient chroniqueuse de mode, puis, à son tour, femme très en vue de la grande presse. « L'admiration portée à Balzac par Astruc a fait du film une sorte de version moderne des *Illusions perdues* », nous précise à juste titre Jacques Siclier. Les arrivistes réussissent là où les idéalistes échouent. En un certain sens, Gégauff et Chabrol tireront la même morale dans *Les Cousins* où ils montrent l'étudiant studieux échouer alors que le dandy noceur réussit à ses examens de la faculté de droit.

On notera toutefois que, dans son résumé, Siclier occulte un point essentiel du récit du film d'Astruc qui explique sa structure : le film est raconté en retours en arrière par la jeune femme qui est accusée d'avoir avorté. On la découvre au début du film au Quai des Orfèvres interrogée par un commissaire (Yves Robert) qui veut lui faire avouer le nom du médecin. Celui-ci (interprété par Claude Dauphin) se suicide d'ailleurs. Ce thème de l'avortement sera repris dans un contexte beaucoup plus cynique toujours dans *Les Cousins*.

Mais Siclier retient surtout du film que son centre intellectuel est Saint-Germain-des-Prés et que le milieu social est celui du journalisme des Champs-Élysées. Selon lui, c'est à partir de cet univers que s'est développé celui de la Nouvelle Vague. Il énumère les lieux privilégiés par les jeunes cinéastes : le Quartier latin des étudiants (*Les Cousins*, *Tous les garçons s'appellent Patrick*, *À bout de souffle*), celui des artistes bohèmes (*Le Signe du lion*), le monde des affaires des Champs-Élysées (*Ascenseur pour l'échafaud*), la bourgeoisie du XVIe arrondissement (*Les Amants*, *Le Bel Âge*), Saint-Germain-des-Prés (encore une fois *Le Bel Âge*). On peut y ajouter la province comme lieu de villégiature de la bourgeoisie parisienne : un château du Roussillon (*L'Eau à la bouche*), Megève (*Le Bel Âge* et *Les Liaisons dangereuses*) et, bien évidemment, le petit port varois de Saint-Tropez (*Le Bel Âge*, *Et Dieu créa la femme*, *Saint-Tropez blues*, de Marcel Moussy).

Avec *Les Amants*, grand succès public du jeune cinéma, Louis Malle adapte avec Louise de Vilmorin une nouvelle de Vivant Denon (*Point de lendemain*, 1777) pour mettre en scène la grande bourgeoisie parisienne et dijonnaise. Il accompagne l'ennui mondain de son héroïne du champ de courses d'Auteuil, où elle retrouve son amant, à sa gentilhommière bourguignonne, où séjourne son mari. Jusqu'à la rencontre avec le jeune homme à la 2 CV, le « coup de foudre à l'état brut » et la célèbre nuit des amants (voir le très beau texte de Barthélemy Amengual, « Le réalisme des *Amants* ou les papiers collés du Tendre » paru d'abord dans *Études cinématographiques* n° 6-7 et repris dans *Du réalisme au cinéma*, Nathan, 1997).

Cette géographie humaine de la Nouvelle Vague existe. Elle n'est représentative que de ses films les plus superficiels. Truffaut, Godard, certains Chabrol, Rivette, mais aussi Rouch, Rozier, Demy, Varda offrent un tout autre visage de la société française. On peut même ajouter qu'avec *La Collectionneuse*, Rohmer a voulu, non sans ironie, régler ses comptes avec cette représentation caricaturale d'une certaine Nouvelle Vague, version tropézienne, avec ses propriétaires de galeries d'art en vacances et son dandy fasciné par l'ascèse la plus radicale (« Il s'agissait maintenant pour moi de lire le matin dans le vrai sens et de l'associer, à l'exemple de la quasi-totalité des êtres sur terre..., à l'idée de l'éveil et du commencement », confie sentencieusement Adrien, le narrateur).

François Truffaut dans un entretien avec Louis Marcorelles en octobre 1961 avait une vision très lucide de ces limites :

> « Nous avons pensé qu'il fallait tout simplifier pour travailler librement et faire des films *pauvres* sur des sujets *simples*, d'où cette masse de films Nouvelle Vague dont le seul point commun est une somme de refus : refus de la figuration, refus d'une intrigue théâtrale, refus des grands décors, refus des scènes explicatives ; ce sont souvent des films à trois ou quatre personnages avec très peu d'action. Malheureusement l'aspect linéaire de ces films s'est trouvé recouper un genre littéraire qui agace beaucoup la critique et le public d'exclusivité actuellement, un genre que l'on peut surnommer le *saganisme* : voiture de sport, bouteille de scotch, amours rapides, etc. La légèreté voulue de ces films passe – parfois à tort, parfois à raison – pour de la frivolité. Là où la confusion s'installe donc, c'est que les qualités de ce nouveau cinéma : la grâce, la légèreté, la pudeur, l'élégance, la rapidité vont dans le même sens que ses défauts : la frivolité, l'inconscience, la naïveté. » (*France-Observateur*, 19 oct. 1961.)

Deux films condensent, parmi quelques autres, ces représentations conventionnelles : *Le Bel Âge* de Pierre Kast et *L'Eau à la bouche* de

Jacques Doniol-Valcroze. Il est révélateur et paradoxal qu'ils aient été écrits et réalisés par les deux critiques des *Cahiers du cinéma*, plus âgés que Chabrol, Godard et Truffaut, à la culture plus classique, grands spécialistes de la littérature française du XVIIIᵉ siècle, amis l'un et l'autre de Roger Vailland. Ce dernier collaborera d'ailleurs au scénario des *Liaisons dangereuses* réalisé par Roger Vadim, version modernisée du roman de Laclos dont l'action est située dans le XVIᵉ arrondissement, à Passy et à Megève.

Les films de Kast et de Doniol-Valcroze ont pour thème commun le marivaudage, les rapports de séduction entre des intellectuels et des jolies femmes. Les trois fictions que rassemble Kast dans *Le Bel Âge* accumulent les clichés et transportent ses personnages d'une librairie-galerie d'art du XVIᵉ arrondissement à Deauville puis à Saint-Tropez et à Megève. L'ambition de Kast est grande puisqu'il s'agit de proposer des rapports nouveaux entre les deux sexes, où les femmes pourraient avoir, autant que les hommes, l'initiative de la séduction. Son projet est réduit à néant par l'indigence de sa direction d'acteurs et la faiblesse de ses dialogues. L'ambition de Doniol-Valcroze dans *L'Eau à la bouche* n'est pas moindre, car celui-ci entend mettre en scène une version moderne de *La Règle du jeu* croisée avec *Sourires d'une nuit d'été*.

> « Quatre personnages (deux filles, deux garçons), jeunes, beaux, riches, se cherchent, se taquinent, se poursuivent dans une lumière de clair de lune, un univers de frôlements, de regards langoureux, de lits défaits, à l'intérieur du décor surchargé d'un château confortable. À minuit, l'un joue à l'orgue "Jésus que ma joie demeure", l'après-midi, un autre lit Kafka à haute voix sur la terrasse : ils mettent des disques de jazz sur l'électrophone, boivent du whisky, dansent pendant l'orage, tandis que le valet de chambre courtise une cuisinière allumeuse », comme nous le résume non sans ironie Freddy Buache (*Nouvelle Vague*, 1962, p. 61).

Les jeunes bourgeois et les domestiques que Doniol-Valcroze représente ont l'épaisseur de créatures de photo-roman ; ils traversent le décor sans vraiment exister. Le couple formé par le majordome et la soubrette (Michel Galabru et Bernadette Laffont) est montré avec une lourdeur qui voudrait contraster avec l'élégance naturelle de leurs maîtres, mais ceux-ci (« mis en images » par Alexandra Stewart, Françoise Brion, Jacques Riberolles et Paul Guers) ont plutôt le statut de mannequins que de personnages de film. La seule réussite indéniable du film reste la chanson éponyme de Serge Gainsbourg.

Si *Le Bel Âge* n'a pas rencontré le public, *L'Eau à la bouche* a eu plus de chance, car il témoigne, malgré ses faiblesses et ses clichés, son « climat torride », d'une certaine libéralisation de la représentation du désir sexuel à l'écran (le film était d'ailleurs interdit aux moins de 16 ans), thème commun à plusieurs films Nouvelle Vague, à l'origine de leur réputation auprès de nombreux spectateurs étudiants.

Mais ce serait commettre un grave contresens historique que de réduire la Nouvelle Vague à la représentation de séducteurs en voiture de sport, consommateurs de whisky et de jolies femmes, loin de toute préoccupation trivialement professionnelle. Erreur commise par ses principaux historiographes : Jacques Siclier en 1960, Raymond Borde, et plus tard Francis Courtade et Freddy Buache.

2. L'univers des auteurs

Le regard de Chabrol, Truffaut, Godard et quelques autres se montre autrement lucide.

2.1 Les étudiants et les vendeuses de Claude Chabrol

Dans ses célèbres *Cousins*, film important par son succès et parce qu'il met en place une certaine mythologie de la Nouvelle Vague telle que la popularise la presse des hebdomadaires, Claude Chabrol, escorté de son scénariste dialoguiste Paul Gégauff, offre une description d'un rare cynisme de la bohème estudiantine, celle des enfants de la nouvelle bourgeoisie. Paul (magistral Brialy) accueille son cousin provincial, le naïf Charles (Gérard Blain, utilisé à contre-emploi), dans l'appartement de son oncle Henry, orné d'armes, de trophées de chasse et de soldats de plomb. Chabrol et Gégauff répondent aux poncifs développés par Marcel Carné dans *Les Tricheurs* (1958), vision très artificielle de la jeunesse dorée des années 1950 avec ses surboums et son « jeu de la vérité ». Si Chabrol et Gégauff frappent juste, c'est parce qu'ils s'appuient sur les souvenirs de leurs années étudiantes à la « corpo » de droit, dont ils restituent avec un réel brio les comportements provocateurs (le personnage de Clovis, parasite quadragénaire, la petite fête dans l'appartement avec ses attractions, le ténor briseur de chaînes, la déclamation wagnérienne du poème de Goethe à la lumière d'un chandelier). Brialy, et plus encore Claude Cerval, ne cessent de surjouer leurs personnages, mais ce surjeu convient parfaitement à ces personnalités parodiques constamment en représentation. L'ironie des *Cousins* transforme le film en manifeste du second degré. D'où les contresens commis à l'époque quant à la lecture politique du film qui s'amuse délibérément à mettre en scène des « nazis » de carnaval, véritables marionnettes de *Hara-Kiri*, la critique assimilant au premier degré le discours pourtant ironique et caricatural des personnages à celui des auteurs (Chabrol et Gégauff).

Dans *Les Bonnes Femmes*, les mêmes auteurs décrivent l'ennui de quatre vendeuses de matériel électroménager dans une boutique de la Bastille mais surtout ils s'intéressent à l'aliénation psychologique et sentimentale des personnages que le film distingue en quatre types différents (incarnés par Bernadette Lafont, Stéphane Audran, Clotilde Joanno et Lucille Saint-Simon). Le film propose une terrifiante vision des hommes : deux dragueurs vulgaires sur le retour, un jeune soldat naïf, un fils de famille petite-bourgeoise d'une prétention ridicule, un motard sadique. C'est un portrait au vitriol de l'idéologie de la presse du cœur, et qui va plus loin que *Les Nuits de Cabiria* (de Federico Fellini), l'un des modèles de Chabrol. L'esprit *Hara-Kiri* et l'humour noir du film, qui préfigurent les farces de Jean-Pierre Mocky et de Bertrand Blier, ont révolté les critiques de 1960, le film étant trop en avance sur l'évolution des valeurs morales.

Plus encore, *Les Bonnes Femmes* représentent un milieu très différent de l'univers dominant de la Nouvelle Vague germano-pratine. C'est aussi le cas des *Quatre Cents Coups* et de *Adieu Philippine* ou encore de *Lola*.

2.2 L'enfance de Truffaut

Claude Chabrol a puisé dans sa jeunesse étudiante pour écrire ses deux premiers films. Truffaut s'inspire directement de son enfance. Dans la nouvelle de Maurice Pons, il avait déjà retrouvé des thèmes proches de ses préoccupations profondes. *Les Quatre Cents Coups*, en créant le personnage d'Antoine Doinel, vont en quelque sorte inaugurer un double de l'auteur, dont il poursuivra la biographie cinématographique tout au long de sa carrière avec *Antoine et Colette*, *Baisers volés*, *Domicile conjugal* et *L'Amour en fuite*.

Le personnage de Doinel dépasse même l'œuvre de Truffaut par acteur interposé, puisqu'on peut envisager le héros godardien de *Masculin féminin* et de *La Chinoise* comme un prolongement de celui des films de Truffaut ; il en est de même pour l'Alexandre de *La Maman et la Putain* de Jean Eustache.

Mais *Les Quatre Cents Coups* font aussi figure d'œuvre matricielle puisqu'on peut aisément relier ce film à *L'Enfant sauvage* et à *L'Argent de poche*, nouvelles variations sur la relation enfants-adultes et sur l'éducation. Adèle H. est également une sœur de Doinel, enfermée dans l'intransigeance de son idéal, et Claude, le jeune homme amoureux d'Anne et de Muriel dans *Les Deux Anglaises*, ressemble comme un frère (et pour cause) à Antoine Doinel.

Tous les personnages masculins de Truffaut demeurent des éternels adolescents, notamment Charlie Kohler (alias Édouard Saroyan), le pianiste timide de *Tirez sur le pianiste*, Bertrand Morane, « l'homme qui aimait les femmes » et Julien Davenne, le chroniqueur nécrologique qui vit dans le culte des morts. Le fétichisme évident de ces personnages, leur relation à l'écriture et aux femmes, en font des variations sur la cinéphilie comme névrose obsessionnelle, autre trait majeur de l'univers truffaldien, et plus largement des films de la Nouvelle Vague (voir l'étude d'Anne Gillain, 1991).

2.3 Les visages de Jean-Luc Godard

Bien que Patrick, le lycéen dragueur et mythomane de *Tous les garçons s'appellent Patrick*, ait été conçu au départ par Éric Rohmer, et Michel Poiccard par François Truffaut (que celui-ci avait nommé Lucien dans le scénario initial), il est évident que ces personnages s'affirment tous les deux d'emblée comme des héros godardiens. Patrick, auquel Brialy prête sa faconde, est un intarissable bavard qui drague de jeunes étudiantes au jardin du Luxembourg. Il est cinéphile, cite Mizoguchi et Kurosawa, et déjà le père Bugatti. La jeune blonde aux cheveux courts qu'il aborde (Anne Colette) s'habille en tee-shirt à rayures : c'est une première version de Patricia Franchirai ; elle écoute des chansonnettes à la mode sur son transistor (« Casanova, Casanova... ») et placarde le mur de sa chambre d'étudiante avec des affiches de James Dean et des photos de Marilyn. Patrick prend le visage de Jean-Paul Belmondo (et la voix de Jean-Luc Godard) dans *Charlotte et son jules* et il est encore plus bavard, vantard et mythomane, sautant du coq à l'âne. Ce déluge verbal masculin va caractériser tant Michel Poiccard que Bruno Forestier, au caractère pourtant plus taciturne. Par ces dialogues, Godard détruit complètement la notion de personnage de film pour transformer celui-ci en une sorte de porte-parole.

Poiccard est donc au départ une espèce de marginal, vaguement « ancien stewart à Air France », lié au milieu parisien des gigolos de la presse à scandale (son ami Tomaltchoff, le photographe Cari Zumbart) et des gangsters tout droit sortis de *Bob le flambeur*. C'est un « nouveau romantique », comme l'avait qualifié Georges Sadoul, un visage années 1960 du héros du réalisme poétique cher à Carné-Prévert. Comme Gabin dans *Quai des brumes* et *Le Jour se lève*, il est traqué par la police mais ne pense qu'à arriver à ses fins (coucher avec elle) avec la femme dont il est amoureux. Avec *À bout de souffle*, Godard parcourt toute l'histoire du cinéma, intègre l'héritage des séries B, des petits polars de la Monogram Pictures comme *Le Démon des armes* (*Gun Crazy*) à un modèle tout à fait hétérogène, celui que vient de proposer Rouch dans *Moi, un Noir*. Son film est une sorte de long monologue où le héros tente désespérément de communiquer avec Patricia, la jeune Américaine qui a bien du mal à suivre les méandres argotiques et les citations littéraires, les petites histoires et les aphorismes de son ami. Seule une balle dans le dos le fera taire au dernier plan : « C'est vraiment dégueulasse ! – Il a dit que vous étiez vraiment une dégueulasse », répète crapuleusement l'inspecteur Vital à Patricia avant que celle-ci reprenne le petit geste de Michel, frottant ses lèvres du bout de son doigt.

Même en partie renié par son auteur, *À bout de souffle* garde, quarante ans après sa sortie, le même impact, qui, rétrospectivement, le transforme en film manifeste de la Nouvelle Vague 1960. Mais les longs métrages immédiatement ultérieurs de Godard sont tout aussi inventifs dans des directions très différentes les unes des autres : *Le Petit Soldat* est fondé sur un long monologue intérieur accompagné par une sombre partition au piano de Maurice Le Roux. Les gangsters de cinéma (américains ou melvilliens, c'est tout comme) sont maintenant des barbouzes d'extrême droite cherchant à liquider des intellectuels pacifistes partisans de « la paix en Algérie », donc antinationaux en territoire neutre dans la seconde patrie de l'auteur.

Une femme est une femme est une magnifique déclaration d'amour à Angéla (Anna Karina), et tous les jeunes spectateurs sont prêts à se substituer à Émile afin de satisfaire le désir soudain de l'héroïne qui chante, telle Lola dans *L'Ange bleu* : « Tout le monde me demande pourquoi... je suis cruelle... parce que je suis très belle... » Il est fort regrettable que les spectateurs du Midi Minuit ou du Neptuna des grands boulevards, habitués aux « nudies » des années 1950, aient été insensibles aux innovations godardiennes.

Paradoxalement, le long métrage suivant, beaucoup plus agressif envers le spectateur, *Vivre sa vie*, calvaire janséniste d'une pauvre vendeuse de microsillons acculée à la prostitution et leçon de philosophie du langage en douze tableaux, répond nettement mieux à leur attente. Comme le disait Buñuel, non sans amertume ironique à propos de son adaptation du roman de Joseph Kessel : « *Belle de jour* fut peut-être le plus gros succès commercial de ma vie, succès que j'attribue aux putains du film plus qu'à mon travail » (*Mon Dernier Soupir*, p. 299).

3. Une nouvelle génération d'acteurs

Les thèmes et les discours des films Nouvelle Vague n'expliquent peut-être que très partiellement l'effet de reconnaissance qui a fonctionné pendant une ou deux saisons auprès du nouveau public. Les adolescents qui commencent à prendre la place du public traditionnel et familial du samedi soir viennent admirer des corps nouveaux, ceux des jeunes acteurs que les jeunes auteurs dénudent certes encore très pudiquement mais assez fréquemment.

Le cinéma de la « qualité française » est un cinéma réalisé par des quinquagénaires, parfois même des septuagénaires, mais il n'a pas su renouveler le « cheptel humain » représenté dans ses œuvres, comme le dit si élégamment Alfred Hitchcock. Jean Gabin, jeune premier du Front populaire, a deux décennies de plus, 55 ans en 1959. Seul Gérard Philipe depuis *Le Diable au corps* a réussi à mobiliser sur ses frêles épaules le poids de la nouvelle demande émotionnelle du jeune public. Mais il offre une réponse théâtrale et déclamatoire assez éloignée du jeu d'acteur qu'impose alors l'école de l'Actors Studio hollywoodienne dans les films d'Elia Kazan (*Baby Doll*) et de Nicholas Ray (*La Fureur de vivre*). Il meurt à 37 ans, l'année où sortent les films de Chabrol et Truffaut, laissant l'image du Valmont des *Liaisons dangereuses 1960* de Vadim et de l'idéaliste mexicain du film de Buñuel *La Fièvre monte à El Pao* (sorti en 1960).

C'est sans doute ce qui explique les délires émotionnels des critiques comme Truffaut et Godard face à *Et Dieu créa la femme*, film au scénario pourtant très conventionnel de Roger Vadim. Ce qu'ils admirent alors, au moment où le film sort sur les écrans, c'est le jeu de **Brigitte Bardot**, ou plutôt son absence de jeu, sa spontanéité, sa façon de parler, de marcher, de sourire, de laver le sol pieds nus et bien sûr d'embrasser et d'enlacer en toute spontanéité ses partenaires masculins (dont les performances physiques sont très en deçà de ce qu'offre Juliette). Brigitte Bardot, dont la filmographie ultérieure est fort médiocre et ne croise qu'exceptionnellement la Nouvelle Vague, aura la chance d'interpréter Camille dans la seule superproduction internationale de Godard : *Le Mépris* (1963). Celui-ci utilise le mythe de la star avec beaucoup plus d'intelligence que Louis Malle dans une biographie fictionnelle pourtant plus directement consacrée à l'actrice (*Vie privée*, 1962).

Au sein de la Nouvelle Vague, Bardot n'a qu'une rivale à la dimension de son mythe, c'est Jeanne Moreau, l'héroïne de *Ascenseur pour l'échafaud*, la bourgeoise qui découvre la passion des *Amants*, et plus encore la lumineuse Catherine qui ne veut pas choisir entre Jules et Jim mais les veut tous les deux (les conventions de l'époque préconisent que cela soit l'un après l'autre, l'ère des *Valseuses* est encore loin). Louis Malle, producteur intelligent mais auteur inégal, réunit les deux actrices dans un pseudo-western mexicain et féministe (*Viva Maria*), mais là encore, son projet n'est pas vraiment abouti.

À l'exception notable d'Agnès Varda, la Nouvelle Vague est un mouvement d'auteurs **masculins**. Contrairement à ce qu'a tenté sans succès le cinéma commercial des années 1950, elle réussit à imposer des jeunes acteurs masculins qui vont se substituer aisément aux Michel Auclair, Daniel Gélin, et Georges Marchal découverts par Clouzot, Becker et Henri Decoin. Alexandre Astruc joue un certain rôle dans cette transition. Il utilise un acteur très « qualité française » dans *Le Rideau cramoisi* et dans *Les Mauvaises Rencontres*, le beau Jean-Claude Pascal, auquel il offre comme partenaire la frêle **Anouk Aimée**, un instant première inspiratrice de la Nouvelle Vague. Mais Jean-Claude Pascal est encore trop « beau », d'un physique correspondant aux canons du classicisme décoratif. Astruc est plus heureux lorsqu'il emprunte Christian Marquand à Roger Vadim pour en faire une sorte d'homme des bois, chasseur et prédateur, brutalisant la mièvre Maria Schell dans *Une vie* (voir plus haut page 36). Il dirige remarquablement deux acteurs « classiques », à la manière d'Antonioni, dans *La Proie pour l'ombre* (Daniel Gélin et Annie Girardot).

Ce qui condamne esthétiquement les films de Pierre Kast et de Jacques Doniol-Valcroze, nous l'avons déjà indiqué, c'est leur mollesse dans la direction d'acteurs. Certes, leurs héroïnes sont très belles, comme d'ailleurs les jeunes premiers qui tentent de les séduire. Le spectateur peut admirer les charmes d'Alexandra Stewart, de Françoise Brion, de Françoise Prévost, d'Ursula Kubler comme ceux de Giani Esposito, de Jacques Riberolles ou de Doniol-Valcroze lui-même, mais la relation reste distante, extérieure, comme si l'on feuilletait un bel album de photos de mode. C'est qu'ils n'auront jamais la présence à l'écran que vont leur donner Chabrol, Truffaut, Godard, Rivette et Rohmer et plus encore Jacques Rozier.

Il arrive pourtant que les mêmes acteurs soient utilisés par les uns et les autres, comme **Bernadette Lafont** et Jean-Claude Brialy, tous deux présents dans *Le Bel Âge*, et Giani Esposito, qui passe du rôle du prince iranien, Alexandre, dirigé par Jean Renoir dans *French Cancan* à l'amoureux malheureux de Pierre Kast, puis au metteur en scène tourmenté de Jacques Rivette (*Paris nous appartient*).

3.1 Le trio fondateur

Dès *Les Mistons* et *Le Beau Serge*, le couple Bernadette Lafont-Gérard Blain affirme son aisance et sa présence. Gérard Blain a été remarqué par Truffaut comme partenaire filial du restaurateur des halles qu'incarne Gabin dans *Voici le temps des assassins*. Il lui offre le rôle du fiancé sportif des *Mistons*. La ruralité alcoolique du *Beau Serge* lui réussit moins bien, mais, dans *Les Cousins*, il est parfait en jeune provincial studieux et inhibé. Il traverse rapidement la Nouvelle Vague avant d'aller incarner le « Français » susceptible et bon tireur, rival du bellâtre germanique Hardy Kruger dans *Hatari* de Howard Hawks. Insatisfait par sa carrière d'acteur, il se consacrera à la réalisation de films courageux et personnels, marqués par l'esthétique bressonienne.

Son compère Jean-Claude Brialy est, avec Jean-Pierre Léaud et Jean-Paul Belmondo, l'acteur type de la Nouvelle Vague. Il passe avec la plus grande aisance et la même désinvolture de Godard (*Tous les garçons s'appellent Patrick*, *Une histoire d'eau*, *Une femme est une femme*) à Claude Chabrol (*Le Beau Serge*, *Les Cousins* où il incarne Paul, son rôle emblématique le plus gégauffien, *Les Godelureaux*) ; il est un peu moins à l'aise chez Astruc, où il prête sa silhouette à Frédéric Moreau, dans une version, modernisée par Roger Nimier mais peu convaincante, de *L'Éducation sentimentale*. Il en est de même chez Truffaut, où son exubérance paraît un peu déplacée (*La Mariée était en noir*). Rohmer, dans *Le Genou de Claire*, exploite en revanche avec réussite sa fatuité naturelle. Le Paul des *Cousins* trouve un écho remarquable dans l'Émile, libraire de Strasbourg-Saint-Denis, amateur de finales de Coupe d'Europe et de romans policiers, très à cheval sur le respect de la syntaxe française mais peu porté sur la paternité (*Une femme est une femme*). Brialy réalise ensuite le rêve initial d'Éric Rohmer : mettre en scène *Les Malheurs de Sophie*, mais hélas avec beaucoup de mièvrerie et bien peu de perversion.

3.2 Un voyou devenu prêtre

Mais le visage masculin de la Nouvelle Vague est incarné par Jean-Paul Belmondo et Jean-Pierre Léaud. C'est aussi leur timbre de voix et leur diction, et c'est essentiellement à la direction d'acteur de Jean-Luc Godard qu'ils le doivent.

Lorsqu'il accepte d'interpréter le rôle que lui propose Godard dans son premier long métrage, Belmondo a déjà joué dans neuf longs métrages plus quelques courts métrages. S'il n'a que des rôles secondaires dans *Les Tricheurs* (Marcel Carné, 1958) et *Un drôle de dimanche* (Marc Allégret, 1958), il joue le personnage principal des *Copains du dimanche* que réalise Henri Aisner dans des conditions d'amateurisme proches de celles du premier Chabrol, mais le film n'est même pas distribué. Il est plus près de son type de rôle ultérieur dans *À double tour*, incarnant le copain parasite du fils de famille, Lazlo Kovacs. Mais face à Jean Seberg, Godard révèle ses capacités d'acteur tout en désinvolture, aisance et cynisme. Il n'a rien du physique de jeune premier à la Jacques Charrier, mais sa virilité provocante correspond plus aux goûts de l'époque. Il est extraordinaire de spontanéité au volant de sa voiture volée, comme par la suite dans le rôle plus complexe du partenaire amoureux un peu mufle de la jeune Américaine dans la célèbre séquence de la chambre de l'hôtel de Suède (« Je m'intéresse toujours aux filles qui sont pas faites pour moi... Pourquoi tu te mets pas toute nue ? »). Ce qu'il y a de profondément novateur dans la mise en scène de Godard, c'est que la caméra ne cesse de traquer les acteurs, qu'elle cadre chacun de leur déplacement, geste et mimique. Le film est en effet devenu un documentaire sur le jeu des acteurs et c'est ce qui donne cette force étonnante aux personnages. Belmondo, sur les indications de Godard, peut tout se permettre, apostropher le spectateur, fredonner ce qu'il entend à la radio, insulter des auto-stoppeuses, voler de l'argent à son ex-petite amie, demander à Patricia pourquoi elle ne porte pas de soutien-gorge, demander s'il « peut pisser dans le lavabo » : chacun de ces détails quotidiens, triviaux, auparavant exclus du domaine du représentable au cinéma, viennent enrichir le personnage, l'ancrer dans le réel du spectateur de 1960. C'est d'ailleurs l'une des raisons du succès du film à l'époque, et de la violente hostilité d'une certaine critique, comme en témoignent Raymond Borde et Robert Benayoun :

> « *À bout de souffle* est le portrait, plein de sympathie complice, du petit démerdard. C'est la version 1960 du *Roi des resquilleurs*... On l'a dit anarchiste. Quelle dérision ! Il a mis au point quelques gags qui lui

assurent une réputation de désinvolte : lever une robe dans la rue, refuser du feu, engueuler un automédon. Mais ça ne va pas plus loin. Il aime la police, il le dit, il y insiste – la police même le pourchasse – et il trouve la société bien faite : tout est dans l'ordre et chacun à sa place. Il ressemble beaucoup à un parachutiste en permission ; cet air de dur qui en remet, cette bêtise épaisse, cette vague angoisse aussi, d'être lâché parmi les civils, c'est le para qui se sent seul, loin de l'unité. Il y a du para dans le personnage et, sous le masque du combinard, une adhésion profonde aux valeurs d'ordre. Cet individu ne me concerne pas. Or il a plu. Pourquoi ? D'abord parce que les jobards ont trouvé un héros à la mesure de leurs rêveries minables : éternels resquillés, ils ont reconnu celui qu'ils ne seront jamais, le resquilleur, et j'imagine que les épiciers ont eu un frisson d'envie à le voir piquer des voitures avec tant de nonchalance. Mais aussi parce que Belmondo est à l'image d'une certaine veulerie, bien de ce temps. Combinard, relaxé, provocateur, il est inquiet, traqué et conformiste [...]. Un mot sur Jean Seberg. Donner et retenir ne vaut, disait l'ancien droit. Ici on donne et on retient. On fait dans la précaution. On montre une femme qui n'en est pas une, mais une sorte de jeune garçon tondu. Belmondo lutine une antifemme, ce qui enlève beaucoup des audaces sexuelles auxquelles le film prétendait. Là encore, Godard a triché » (Raymond Borde et al., *Nouvelle Vague*, 1962, p. 23-23).

« Godard, pour sauver un film inmontrable (*À bout de souffle*), le charcuta au petit bonheur, comptant sur les facultés d'ébahissement d'une critique qui ne le déçut point pour lancer une mode, celle du film mal fait. Gâcheur impénitent de pellicule, auteur de propos imbéciles et abjects sur la torture et la délation, publiciste de lui-même, Godard représente la plus pénible régression du cinéma français vers l'analphabétisme intellectuel et le bluff plastique » (Robert Benayoun, *Positif*, n° 46, juin 1962, p. 27).

Le succès aussi considérable qu'inespéré de *À bout de souffle* accorde aussitôt le statut de vedette à l'acteur, qui va enchaîner les films les uns après les autres, passant des productions d'avant-garde comme *Moderato Cantabile* de Peter Brook d'après Marguerite Duras à des films beaucoup plus commerciaux comme *Cartouche* (Broca, 1962) et *Un singe en hiver* (Henri Verneuil, 1961). Mais la palette de Belmondo est très large puisqu'il peut interpréter de manière très crédible le rôle d'un prêtre chez Melville (*Léon Morin, prêtre*) comme celui d'un jeune paysan italien amoureux d'une prostituée (*La Viaccia*, Bolognini, 1961), celui d'un jeune idéaliste révolté (*La Cioccara*, De Sica, 1961), ou celui, plus convenu d'un cambrioleur anarchiste (*Le Voleur*, Louis Malle, 1967). Il retrouve Godard deux fois, d'abord dans un rôle plus effacé, celui d'Alfred, où il est un peu sacrifié au profit de Brialy et d'Anna Karina (*Une femme est une femme*) ; puis cinq ans après Poiccard, dans *Pierrot le fou*, qui reste le rôle le plus extraordinaire de sa carrière, celui de Ferdinand Griffon alias Pierrot (« Je ne m'appelle pas Pierrot, je m'appelle Ferdinand », ne cesse-t-il pas de répéter tout au long du film), amoureux de Marianne et grand admirateur du critique d'art Élie Faure : « Vélasquez, après 50 ans, ne peignait plus jamais une chose définie. Il errait autour des objets avec l'air et le crépuscule... »

François Truffaut l'utilise à contre-emploi dans *La Sirène du Mississippi* où il est Louis Mahé, riche héritier un peu naïf et vierge de surcroît, face à Catherine Deneuve chargée d'incarner Marion, une garce retorse et voleuse. Chabrol prend moins de risques en lui donnant le rôle plus attendu de Docteur Popaul. Dans *Stavisky*, dirigé de main de maître par Alain Resnais, il est absolument remarquable en escroc mythomane de haute volée, mais le grand public le préfère chez De Broca ou Verneuil (*Le Magnifique*, *Peur sur la ville*, et plusieurs autres titres de la même série qui font tourner l'industrie française, assez loin de l'esprit Nouvelle Vague).

3.3 Antoine Doinel et sa descendance

Tout le porte-à-faux, le jeu décalé qu'a apporté la Nouvelle Vague dans la direction d'acteur, n'a jamais été aussi bien illustré que par la gestuelle, le sourire gêné, le faux rire de **Jean-Pierre Léaud**, acteur qui n'a jamais fait l'unanimité, mais qui n'en est que plus bouleversant par sa fragilité. Dans *Les Quatre Cents Coups*, Truffaut l'empêchait de sourire afin de ne pas apitoyer le spectateur comme dans *Chiens perdus sans collier*. Il est remarquable de gaucherie adolescente dans *Antoine et Colette* et dans *Baisers volés ;* Godard s'empare alors de ces travers pour les exploiter jusqu'au bout dans *Masculin-féminin* et *La Chinoise*. Il incarne à lui seul le mal-être d'une jeunesse d'avant 1968, aussi déboussolée que révoltée, à la recherche d'un idéal révolutionnaire et d'une vraie relation avec des jeunes femmes toujours insaisissables et incompréhensibles : Chantal Goya, Anne Wiazemski, Juliet Berto. Dans la même lignée, Jean Eustache lui fait incarner *Le Père Noël a les yeux bleus* et, bien sûr, le dandy désabusé et phraseur de l'après-1968 aux prises avec sa maman et sa putain (Bernadette Lafont et la bouleversante Françoise Lebrun). Ce long métrage de 3 heures et 40 minutes est la quintessence de l'après-Nouvelle Vague, le film le plus authentiquement fidèle à ses principes initiaux, celui que François Truffaut n'a jamais osé écrire et encore moins mettre en scène.

La Nouvelle Vague a également promu un certain type d'acteur dirigé de manière plus janséniste, sur le modèle de la sobriété du dernier Becker (*Le Trou*) et de « l'inexpressivité » bressonienne, dont le *Pickpocket* a une influence souterraine sur tout le nouveau cinéma de la période. C'est de cette tendance que l'on peut rapprocher le Michel Subor du *Petit Soldat*, le Charles Aznavour de *Tirez sur le pianiste*, mais aussi Marc Michel « sous jouant » délibérément dans *Lola* de Jacques Demy ou Claude Mann dans *La Baie des Anges*, du même auteur. Jean-Pierre Melville explore également cette voie dans *Léon Morin prêtre*, et *Le Doulos* en brimant le narcissisme extraverti de ses interprètes, tout comme Alain Robbe-Grillet dirigeant Jacques Doniol-Valcroze dans *L'Immortelle* et Jean-Louis Trintignant dans *L'Homme qui ment.*

3.4 Acteurs amateurs, corps anonymes

Allant jusqu'au bout du refus du professionnalisme conventionnel, certains films majeurs de la Nouvelle Vague ont eu recours à des acteurs amateurs, la plupart du temps restés anonymes comme les modèles de Robert Bresson. Dans cette famille, il faut au moins mentionner Nadine Ballot, la jeune lycéenne que traque la caméra de Jean Rouch dans *La Pyramide humaine* ou *La Punition* et qui, dans *Gare du nord*, exécute une performance qui égale bien celle de toutes les actrices professionnelles.

De même, la réussite exceptionnelle de *Adieu Philippine*, le « premier film de télévision », selon Godard, réside dans la complicité instaurée entre Jacques Rozier, organisateur de fiction improvisée plus que metteur en scène, et ses trois comparses, Jean-Claude Aimini, Stefania Sabatini et Yveline Céry. Par exemple, lors de la première rencontre entre les trois personnages, Michel, jeune machiniste à la télévision, entraîne les deux jeunes filles dans un café pour prendre un verre avec elles. Cette scène si banale au cinéma est totalement renouvelée par le parler des acteurs, la musique du juke-box qui accompagne le dialogue, les maladresses de Michel, ses « astuces » subtiles (« T'affole pas, Loulou, c'est un tango », dit-il au serveur qu'exaspèrent les hésitations dans la commande des consommations et le fou rire des jeunes filles), et bien sûr par le montage de Rozier, qui retrouve, grâce au cadre et au rythme, la spontanéité du quotidien : « Jeune, vrai, neuf, libre, drôle. Un souffle d'air. Un verre d'eau fraîche. Une journée de soleil. Resnais, Truffaut, Godard et le fantôme de Jean Vigo se sont publicitairement penchés sur le berceau de *Adieu Philippine*. Ces fées sont bien bonnes. Rozier n'a pas besoin d'elles. Pour marraine, il a la jeunesse », écrit Jean-Louis Bory dans *Arts* (2 octobre 1963).

4. Les figures féminines de la Nouvelle Vague

4.1 Bernadette Lafont

Nîmoise découverte par François Truffaut pour *Les Mistons*, Bernadette Lafont est le premier modèle féminin de la Nouvelle Vague puisqu'on la retrouve aussitôt chez Chabrol dans *Le Beau Serge*, *À double tour*, *Les Bonnes Femmes* et *Les Godelureaux*, de même que chez Doniol-Valcroze dans *L'Eau à la bouche*. Les auteurs mettent en avant sa sensualité naturelle, son sourire éclatant et son dynamisme. C'est la jeune actrice la plus proche de l'inspiration renoirienne de la Nouvelle Vague, celle qui s'épanouit avec Catherine Rouvel dans *Le Déjeuner sur l'herbe*. Cependant Chabrol et Doniol-Valcroze limitent un peu trop Bernadette Lafont à l'expression d'une certaine sensualité vulgaire dans *Les Bonnes Femmes*, où elle ne cesse de mâcher un chewing-gum, ou dans *L'Eau à la bouche*, où elle se promène en sous-vêtement tout au long du film. Truffaut rendra hommage à son exubérance et à sa joie de vivre en lui donnant le beau rôle dans *Une belle fille comme moi* (où elle ridiculise le jeune sociologue qui l'interroge en prison : André Dussolier), tout comme le fera Nelly Kaplan dans *La Fiancée du pirate*, en 1969. Mais Jean Eustache l'utilisera de manière très inattendue et remarquablement plus convaincante dans *La Maman et la Putain*.

Bernadette Lafont apporte donc avec elle, à la fin des années 1950, une image plus moderne de la jeune femme méridionale à l'aise dans ses rondeurs physiques, naturelle, spontanée et populaire, une version brune et ensoleillée de la Juliette, blonde et tropézienne au ton plus « Neuilly-Auteuil-Passy » de *Et Dieu créa la femme*.

4.2 Karina et Godard, les « Sternberg-Dietrich » de la Nouvelle Vague

Même si Anna Karina interprète un personnage de comédie dans *Ce soir ou jamais* de Michel Deville (1961) – son premier rôle public à l'écran puisque *Le Petit Soldat* est resté inédit pour raison de censure pendant trois ans –, son nom est irrémédiablement lié à celui de Jean-Luc Godard, qui la découvre en 1960, l'épouse et lui offre sept longs métrages et sept rôles majeurs dans *Le Petit Soldat*, *Une femme est une femme*, *Vivre sa vie*, *Bande à part*, *Pierrot le fou*, *Alphaville* et *Made in USA*. Godard renoue ainsi avec une certaine tradition hollywoodienne fondée sur une étroite complicité entre un réalisateur et une actrice, comme Mack Sennett et Mabel Normand, Charles Chaplin et Paulette Godard, et dont le modèle inégalé est bien sûr représenté par Josef von Sternberg et Marlène Dietrich, de *L'Ange bleu* à *La Femme et le Pantin*. Dans *Le Petit Soldat*, avant de rencontrer Véronica, Bruno Forestier parie avec un ami, sur la proposition de celui-ci, que s'il tombe amoureux d'elle, il lui donnera 50 dollars. Dès qu'elle est partie, Bruno sans rien dire donne un billet à son comparse. Dans le même film, la célèbre séquence de pose photographique au cours de laquelle le reporter mitraille littéralement son modèle est une magnifique déclaration d'amour à l'actrice, que l'auteur reprend sur un mode tragique lorsqu'il fait lire (et lit de sa propre voix) le texte du *Portrait ovale* d'Edgar Poe à la fin de *Vivre sa vie.*

La liaison biographique et passionnelle est particulièrement féconde pour l'œuvre puisque le ton et le style communs aux films suivent l'évolution des rapports du couple. *Une femme est une femme* est le moment de l'euphorie et de la fantaisie la plus exubérante. Godard exploite au mieux l'accent danois de sa comparse et sa maladresse de chanteuse. Il exploite également son style vestimentaire fondé sur une trichromie de couleurs primaires, puisque le blanc, le bleu et le rouge irradient les sous-vêtements d'Angéla, et joue sur son côté faussement « bas-bleu ». Elle devient pathétique en noir et blanc, comme la Jeanne d'Arc de Dreyer, dans *Vivre sa vie*, où elle meurt aussi absurdement que tragiquement. Elle retrouve une gaieté triste et enjouée dans *Bande à part*, où elle est aussi juvénile et émouvante que l'Odile de Raymond Queneau, comme son prénom l'indique dans le film. Dans *Alphaville*, elle est l'irréelle et robotisée Natacha Johnson, fille du professeur Von Braun ; Lemmy Caution lui fait découvrir le sens des mots « amour » et « tendresse » à partir de citations de *Capitale de la douleur* de Paul Éluard. Mais c'est la Marianne aimée de Pierrot-Ferdinand qui l'immortalise pour toute une génération de cinéphiles.

Avec *Made in USA*, Godard la recouvre de l'imperméable d'Humphrey Bogart et perd son actrice comme son personnage dans les méandres d'une intrigue aussi obscure que sanglante et bariolée. C'est leur dernière collaboration, mais celle-ci a été si étroite que tous les autres longs métrages que Jean-Luc Godard réalise dans l'intervalle avec d'autres actrices dans le rôle féminin principal sont marqués par l'absence d'Anna Karina. Même la blonde Camille du *Mépris*, interprétée par la plus grande star du moment, se transforme en femme brune au centre du film, comme pour évoquer en écho la femme absente du réalisateur.

Tout autant que Jean-Pierre Léaud et dans son registre propre, Anna Karina aura permis à l'auteur le plus fécond de la Nouvelle Vague d'enrichir la palette dramatique de ses personnages féminins, grâce à sa fantaisie et à sa spontanéité. Après Jean Seberg, elle aura contribué à prolonger l'attraction séductrice qu'exerce la langue française énoncée avec un accent étranger, renouant avec la tradition de René Clair (Pola Illery dans *Sous les toits de Paris*, film évoqué avec *Quatorze Juillet* dans *Une femme est une femme*) et de Jean Renoir (l'incandescente Winna Winfried de *La Nuit du carrefour*, modèle de référence de *Made in USA*).

4.3 Jeanne et ses sœurs

Si, dans un certain sens, le Godard des années 1960 est l'homme d'*une* femme, son comparse Truffaut porte assurément le titre de son propre film « *L'homme qui aimait les femmes* », mais qui ne les aime qu'au pluriel.

À l'origine règne la mère, Claire Maurier, celle des *Quatre Cents Coups*. Très vite et très classiquement, la figure féminine se divise en deux visages, ceux de l'épouse et de la maîtresse (Nicole Berger et Marie Dubois dans *Tirez sur le pianiste*), plus schizophrènement et de manière beaucoup plus tragique et plus malheureuse, celui de Françoise Dorléac (*La Peau douce*) et plus tard celui de Catherine Deneuve (la garce, épouse par imposture et maîtresse par passion sexuelle dans *La Sirène du Mississippi*). De ces deux visages emblématiques, les frêles Kiki Markham et Stacey Tendeter seront des reflets plus juvéniles (*Les Deux Anglaises*).

La jeune fille a le visage de Marie-France Pisier et de Claude Jade, celle qui épousera Antoine Doinel. C'est cette diversité, à la limite de la dispersion et de l'éclatement dont témoigne admirablement le film dans lequel Charles Denner est l'acteur principal, que reflète le personnage si riche et polymorphe de Catherine, et qui rassemble en Jeanne Moreau toutes les figures féminines truffaldiennes : femme et maîtresse, elle sera tour à tour Léna, Thérésa, Colette, Nicole, Linda et Clarisse, Julie Kolher, Christine et Marion. Elles ne sont toutes, en définitive, que des facettes de l'héroïne de *Jules et Jim* (voir A. Gillain, 1991).

Enfin, il faudrait citer un certain nombre de jeunes actrices à la gloire éphémère, le temps d'un film ou deux, qui sont autant de visages de la Nouvelle Vague pour les jeunes spectateurs de l'époque. Dans des lettres personnelles publiées postérieurement, Godard prétend avoir filmé *À bout de souffle* pour Anne Colette, qui traverse les écrans de l'époque à la vitesse d'une étoile filante à partir de *Tous les garçons s'appellent Patrick*. Les magazines pour cinéphiles adolescents ont accordé un certain crédit à Juliette Mayniel, « star » vite disparue mais qui illumine de ses grands yeux clairs, outre *Les Cousins*, *Les Yeux sans visage* (1960) où Georges Franju la défigure et lui recouvre la face de bandelettes, *Un couple* (1960) de Jean-Pierre Mocky, avant de retrouver Chabrol dans *Ophélia* et *Landru* (tous les deux en 1962), ce qui sera fatal à son destin d'actrice.

La filmographie de Chabrol a été un moment liée à celle de sa seconde femme, l'actrice Stéphane Audran, qui apparaît fugitivement dans *Les Cousins*, puis plus franchement dans *Les Bonnes Femmes*. Mais la carrière de celle-ci éclate vraiment après *Les Biches*, au début de la seconde phase créatrice chabrolienne après la traversée du désert des *Tigres*. Toutefois le jeu de Stéphane Audran et le type de rôles qu'elle incarne dans les sombres mélodrames bourgeois ou policiers du Chabrol de *La Femme infidèle* et du *Boucher* sont assez loin du style de jeu des actrices Nouvelle Vague.

Quant aux actrices découvertes par Alain Resnais, telles Emmanuelle Riva et Delphine Seyrig, elles viennent du monde dramatique et littéraire et bénéficient d'une expérience théâtrale très marquée ; leur style est donc assez loin de la spontanéité et de l'improvisation qui caractérisent celui de la Nouvelle Vague. Elles s'opposent en cela aux jeunes actrices « non professionnelles » de Jacques Rozier et à la jeune égérie rouchienne Nadine Ballot.

L'influence internationale, l'héritage aujourd'hui

Comme nous l'avons vu, la Nouvelle Vague, apparue en France à la fin des années 1950, marque un renouvellement de générations au sein d'une industrie cinématographique arrivée à un certain état de sclérose créative. Elle intervient dix à quinze ans après la période de la Libération, décalage assez caractéristique – et original – de l'évolution de la société française dans le domaine de la culture. La rupture provoquée par le modèle néoréaliste dès 1944-1946 en Italie ne s'est pas produite en France. Le seul film emblématique de la résistance française reste *La Bataille du rail* que réalise en 1946 René Clément avec le mouvement Résistance-Fer, mais la carrière ultérieure du cinéaste sera très différente de celle de Roberto Rossellini ou de Vittorio de Sica. Plus encore, les cinéastes français tels Clément, Becker, Bresson et Clouzot restent des individualités fortes, isolées les unes des autres, ne s'intégrant pas à un mouvement culturel de caractère collectif, même mythique, comme c'est le cas à la même période dans la péninsule transalpine.

Le milieu des intellectuels français est alors beaucoup plus éloigné de l'industrie cinématographique qu'en Italie. Et lorsqu'un philosophe aussi prestigieux que Jean-Paul Sartre est amené à collaborer aux scénarios ou aux dialogues de certains films tels *Les Jeux sont faits* de Jean Delannoy (1947) ou *Les Orgueilleux* de Yves Allégret (1953), l'expérience est loin d'être concluante et esthétiquement productive.

La question posée par l'histoire du cinéma est celle de l'antériorité de la Nouvelle Vague française par rapport aux « jeunes cinémas » qui apparaissent partout dans le monde au tournant des années 1950/1960. Un certain chauvinisme hexagonal voit en elle l'origine de cette révolution internationale. Un examen plus attentif des chronologies permet de distinguer des mouvements de renouvellement ou de rupture antérieurs à la Nouvelle Vague française et des esthétiques nouvelles plus directement provoquées par la diffusion internationale des premiers longs métrages de Truffaut, de Resnais et de Godard, ceux de Chabrol n'ayant pas obtenu la même audience à l'étranger.

1. Les mouvements précurseurs

Le désastre provoqué par le conflit mondial ne semble avoir de réper-cussions directes dans le domaine de l'esthétique des films que dans le cas du néoréalisme italien. Bien sûr, du point de vue industriel, il entraîne la disparition pour une certaine durée de la cinématographie allemande et la régression quantitative de la production soviétique.

On se souvient que Pierre Billard, dans son bilan de la production des années 1957-1958, mettait en avant l'apparition de nouveaux auteurs originaux aux États-Unis, en URSS, en Pologne, en Italie et même dans l'Espagne du général Franco. Il citait alors Robert Aldrich, Gri-gori Tchoukhraï, Andrzej Wajda, Francesco Maselli et Juan Antonio Bardem. Par contraste, la France n'offrait que Roger Vadim et Michel Boisrond (voir chapitre 1).

Si l'on élargit la perspective, on peut constater que les années 1950 sont marquées, sur le plan culturel et politique, par l'hégémonie de Hol-lywood, la crise du stalinisme avec ses effets dans le domaine artistique et les difficultés de la décolonisation entraînant une remise en cause des valeurs morales dans la plupart des pays producteurs de films (voir Jean-Louis Leutrat, *Le Cinéma en perspective : une histoire*, « le cinéma après la Seconde Guerre mondiale », Nathan, coll. « 128 », 1992, p. 47-53).

Ces années voient la crise des grands studios hollywoodiens qui, malgré leur domination économique, sont alors embourbés dans les superproductions et l'émergence d'auteurs producteurs indépendants comme Robert Aldrich ou Richard Brooks.

Les pays de production étatique comme ceux de l'est de l'Europe ten-tent d'échapper aux dogmes du « réalisme socialiste » imposé en vain par l'URSS de Jdanov. Le modèle néoréaliste italien n'a pas d'influence directe sur les nouveaux auteurs. C'est le cinéma polonais qui manifeste le premier une certaine émancipation esthétique avec Andrzej Wajda : il débute en 1954 avec *Génération* (aussi nommé *Une fille a parlé*), film au titre emblématique. Avec *Kanal* (1957) et *Cendres et Diamant* (1958), il s'éloigne définitivement des codes du réalisme socialiste, tout comme son contemporain Andrzej Munk avec *Eroika* (1957) et *De la veine à revendre* (1960), films au ton assez ironique loin de toute héroïsation épique.

En Suède, Ingmar Bergman poursuit son œuvre solitaire en s'éloignant de plus en plus nettement des modèles scénaristiques conventionnels. Il a débuté en 1945 avec *Crise*, mais c'est à partir de son dixième long métrage, *Jeux d'été* (*Sommarlek*), qu'il développe une démarche d'auteur de plus en plus personnelle. Celle-ci se révèle de manière éclatante avec *Un été avec Monika* en 1953, film qui va beaucoup impressionner les jeunes critiques François Truffaut et Jean-Luc Godard par la liberté de ton et la franchise avec laquelle il représente les rapports amoureux entre deux adolescents suédois.

En Espagne, la production de l'État franquiste dominée par des comédies populaires et des mélodrames conventionnels laisse pourtant la place à une expérience de type néoréaliste assez originale en Europe, avec les deux premiers longs métrages de J. A. Bardem que produit Georges de Beauregard : *Mort d'un cycliste* et *Grand'Rue*. Mais ces films sont loin de l'esthétique libre de la Nouvelle Vague.

Les années 1959-1960 sont caractérisées par l'apparition de nouveaux réalisateurs qui rompent avec l'esthétique du moment un peu partout dans le monde, ruptures qui se situent souvent en parallèle avec celles de la Nouvelle Vague française, sans qu'il y ait d'influence directe. La plupart du temps, un ou deux cinéastes s'imposent avec un premier film original. Ces films sortent sur les écrans au même moment que sont distribués à l'étranger les premiers longs métrages de Truffaut et de Resnais. Cette coïncidence radicalise la démarche des auteurs étrangers qui, s'appuyant sur l'exemple des premiers succès français, tentent de poursuivre leur carrière malgré la résistance de leur industrie nationale.

Selon l'analyse qu'en propose Barthélemy Amengual, un même processus caractérise la percée puis l'avancée des nouvelles vagues, même dans les pays socialistes des années 1950. Ce processus, exemplaire dans le cas français, se retrouve un peu partout :

> « La critique, d'abord, orchestre le conflit des anciens et des modernes, sur le plan de l'esthétique, de l'idéologie, voire de la morale. Une ou plusieurs revues s'offrent à soutenir les champions du changement entrés généralement dans la profession par la petite porte : productions indépendantes, budgets dérisoires, équipes techniques réduites, comédiens débutants. Sur tous agissent l'exemple du néoréalisme (alors condamné dans les pays de l'Est), la leçon et le plus souvent aussi l'expérience du documentaire. Les films circulent. De l'étranger reviennent des échos louangeurs. Les médias s'en mêlent. Un nouveau public, préparé par les ciné-clubs, les cinémathèques, les festivals, les circuits de l'art-et-essai, les revues spécialisées, se montre disponible. Les écoles et les instituts de cinéma prennent feu. Des officiels de la cinématographie et même des producteurs se laissent convaincre. La vague est lancée. Quelques années d'éclat, de compréhension, parfois de réels succès, et elle se sera dissoute ou intégrée » (B. Amengual, « Les nouvelles vagues », *Le Cinéma*, Bordas, 1983).

Le cas de la Grande-Bretagne ne correspond que partiellement à ce modèle. Le mouvement des « jeunes gens en colère » (*Angry Young Men*) intervient d'abord dans le champ littéraire et théâtral, plus ouvert aux expériences d'avant-garde. C'est par le biais des adaptations de ces pièces provocatrices que de jeunes réalisateurs lancent le mouvement du Free Cinema avec des films comme *Les Chemins de la haute ville* (*Room at the Top*, Jack Clayton, 1958) adapté d'un roman de John Braine paru en 1957, ou bien *Les Corps sauvages* (*Look Back in Anger*) que Tony Richardson adapte d'une pièce de John Osborne en 1959. Suivront les films de Karel Reisz (*Samedi soir, dimanche matin*, 1960), cinéaste issu de l'école documentaire anglaise, et de Lindsay Anderson (*Le Prix d'un homme*, 1963), fondateur de la revue *Sequence* en 1946 puis critique au *Times* et à l'*Observer* et auteur d'un manifeste publié dans *Sight and Sound* aussi virulent que celui de François Truffaut : « Stand Up ! Stand Up ! »

Aux États-Unis même, mais loin de Hollywood, le cinéma expérimental tout comme l'école documentaire sont marqués par l'apparition de démarches nouvelles. Autour de Robert Drew se développe à New York un nouveau style de reportage d'où va naître le cinéma direct : films de Drew (*Cuba Si Yankee No*, *Primary*, 1960), d'Albert et David Mayles et de Don Pennebaker. Le jeune acteur John Cassavetes s'inspire de l'improvisation musicale telle que la propose le jazz d'avant-garde, celui de Charlie Mingus notamment, pour réaliser en 16 mm une première version de *Shadows* dès 1957, suivie d'une seconde en 1959. Ce film est tout aussi novateur que *À bout de souffle* du point de vue du jeu des acteurs, de l'improvisation des dialogues et des formes du montage. Il va rester très longtemps méconnu de la critique française qui ne découvrira l'importance de son auteur qu'à partir de *Husbands* dix ans plus tard en 1970.

Au Japon, Nagisha Oshima débute comme assistant puis écrit des critiques et des scénarios avant de réaliser trois longs métrages consécutifs très personnels : *Le Quartier de l'amour et de l'espoir* (1959), *Contes cruels de la jeunesse* (1959) et *L'Enterrement du soleil* (1960). Il s'affirme d'emblée comme le chef de file de la « Nouvelle Vague » japonaise et son film suivant *Nuit et brouillard du Japon* (1960) est un hommage à celui d'Alain Resnais. L'audace politique de cette œuvre, dans laquelle Oshima dénonce avec virulence le renouvellement du traité nippo-américain, provoquera un scandale dans son pays. Parallèlement, Oshima continue à analyser dans les revues critiques les films de la Nouvelle Vague française, par exemple *À bout de souffle* qu'il admire.

2. L'influence de la Nouvelle Vague à l'étranger

La découverte des films français provoque de fortes réactions dans les écoles cinématographiques d'État des pays de l'Est. La Pologne a précédé le mouvement, qui sera bien vite imité par les jeunes cinéastes tchécoslovaques et hongrois. En Pologne même, un jeune poète comme Jerzy Skolimowski, scénariste de Wajda pour *Les Innocents charmeurs* (1959) et de Roman Polanski pour *Le Couteau dans l'eau* (1961), réalise lui-même en 1964 *Signe particulier néant* (*Rysopis*) dont il est scénariste, décorateur, monteur et interprète principal. Le film est violemment subjectif, écrit comme un essai, impensable sans l'apport antérieur de Godard au bouleversement des formes filmiques. Skolimowski va enchaîner avec *Walkower* (1965) et *La Barrière* (1966) avant de s'expatrier à partir de 1967, car sa virulente satire, *Haut les mains!*, est interdite par la censure. Cette année-là, il réalise en Belgique *Le Départ* dans lequel Jean-Pierre Léaud, jeune garçon coiffeur fasciné par les courses automobiles, est plus godardien que jamais.

En Tchécoslovaquie, on observe vers 1956 d'abord une timide libéralisation avec quelques films de Jan Kadar et de Vojtech Jasny, mais c'est à partir de 1963 qu'une nouvelle génération tout juste sortie de l'école de cinéma d'État, la Famu, déferle sur les écrans du monde avec des œuvres éclatantes de jeunesse et de spontanéité comme celles de Milos Forman (*L'As de pique*, 1963 suivi de *Les Amours d'une blonde*, 1965), de Jaromil Jires (*Le Premier Cri*) et Vera Chytilova (*Quelque Chose d'autre*). Suivront Ewald Schorm, Jan Nemec, Ivan Passer, Jiri Menzel et quelques autres. Ils seront si nombreux que l'on parlera alors d'école de Prague. Les élèves de la Famu ont vu et revu *Les Quatre Cents Coups* de Truffaut et *À bout de souffle* de Godard.

De l'autre côté de l'hémisphère, c'est la cinématographie brésilienne qui se lance dans le « Cinema novo » à partir de la découverte de la Nouvelle Vague et plus particulièrement de Godard. Comme partout dans le monde, une génération issue des ciné-clubs et des mouvements étudiants s'empare des caméras pour produire des œuvres marquées par une certaine forme de décolonisation culturelle. Apparaissent ainsi une dizaine de nouveaux auteurs autour de Ruy Guerra, Carlos Diegues et Joaquim Pedro de Andrade. Le plus brillant d'entre eux est sans doute Glauber Rocha qui propose, après un film assez hybride, *Barravento* en 1961, une trilogie politique flamboyante et baroque qui va marquer l'histoire du cinéma de 1964 à 1969: *Le Dieu noir et le Diable blond*,

Terre en transes et *Antonio das Mortes*. Glauber Rocha est bien le porte-parole de ce cinema novo en même temps qu'un polémiste redoutable, maniant la plume avec une provocation désinvolte aussi grande que ses images. Il a publié dès 1963 une *Révision critique du cinéma brésilien*. Mais il ne faut pas oublier Nelson Pereira Dos Santos, précurseur du cinema novo avec ses *Rio 40°* (1956) et *Rio Zone Nord* (1957), qui a beaucoup influencé Rocha. Il monte, d'ailleurs, *Barravento*. Son *Vidas Secas* (1960) est très important dans la formation des jeunes cinéastes. Ses premiers films sont eux-mêmes très influencés par le néoréalisme italien (Rossellini, De Santis).

Le cas de l'Italie est assez particulier. Le pays a connu sa « révolution » cinématographique dès la fin du fascisme, à partir de 1943-1944, avec des films comme *Ossessione* et *Rome ville ouverte*. Les années d'après-guerre sont très riches et les années 1950 voient le développement de l'œuvre d'auteurs majeurs comme Luchino Visconti, Federico Fellini et Michelangelo Antonioni, influencés par l'opéra et le théâtre, pour le premier, la bande dessinée et la caricature humoristique pour le second et l'enquête documentaire pour le troisième. Mais les années 1959-1960 voient une radicalisation des expériences esthétiques. Après *Le Cri*, Antonioni crée un nouveau rythme narratif fondé sur la dédramatisation et le récit lacunaire avec *L'Avventura*. Fellini se lance dans une œuvre protéiforme avec *La Dolce Vita*, Visconti joue la carte du néoréalisme rénové par le vérisme inspiré de Verga avec *Rocco et ses frères*. Le cinéma italien de la fin des années 1950 est donc très loin d'être aussi sclérosé que son homologue français en 1956-1957. Seule la forme très personnelle que donne Roberto Rossellini à ses récits filmiques construits autour d'Ingrid Bergman avec *Europe 51*, *Stromboli* et *Voyage en Italie* demeure mal comprise par la critique italienne trop attachée au modèle néoréaliste pur, comme celui de *Païsa*. C'est la critique française, à partir d'un texte célèbre de Jacques Rivette, qui retiendra la leçon rossellinienne (« Lettre sur Rossellini », *Cahiers du cinéma*, n° 46, avril 1955) :

> « Il me semble impossible de voir *Voyage en Italie* sans éprouver de plein fouet l'évidence que ce film ouvre une brèche, et que le cinéma tout entier y doit passer sous peine de mort ; [...] mais voilà ce que j'ai vu : c'est que les films de Rossellini, quoique pelliculaires, sont eux aussi soumis à cette esthétique du direct, avec ce que cela comporte de gageure, de tension, de hasard et de providence. »

C'est à ce moment qu'un réalisateur comme Francesco Rosi entend renouveler complètement le film d'enquête politique avec son brillant

Salvatore Giuliano, construit comme un puzzle avec des retours en arrière et des fragments biographiques hypothétiques. Dans un certain sens, le cinéma moderne italien n'a pas attendu les leçons de la Nouvelle Vague française pour donner des œuvres majeures du cinéma européen comme la trilogie d'Antonioni : *L'Avventura*, *La Notte* et *L'Eclisse*, ou comme *Le Guépard* (Visconti) ou *Huit et demi* (Fellini).

Mais malgré tout, les effets de la Nouvelle Vague française sont observables dans les premières œuvres de jeunes cinéastes comme Bernardo Bertolucci (*Prima della Revoluzione*, 1964 puis le très godardien *Partner* en 1968), ou Marco Bellochio (*Les Poings dans les poches*). Ils sont également repérables dans les débuts cinématographiques du poète italien Pier Paolo Pasolini dont l'œuvre transforme les codes du néo-réalisme à partir d'*Accatone* (1961) et de *Mamma Roma* (1962), en accentuant les recherches plastiques et formelles d'inspiration brechtienne. Pasolini va alors développer un dialogue critique et créatif avec Jean-Luc Godard tout au long des années 1960, à partir de *Rogopag* (1963), où ils collaborent ensemble à un film en plusieurs parties jusqu'à *Porcherie* (*Porcile*) en 1970. Tout comme Glauber Rocha à la même époque, Pasolini emprunte même certains acteurs à la Nouvelle Vague française, par exemple Jean-Pierre Léaud (*Porcherie* de P. P. Pasolini et *Le Lion à sept têtes* de Glauber Rocha en 1969) et Pierre Clémenti (toujours *Porcherie*, *Partner* et *Le Conformiste* de Bertolucci et *Cabezas Cortadas*, de Glauber Rocha en 1970).

En 1969-1970, le cinéma moderne transcende les frontières nationales et les interactions esthétiques sont constantes entre des créateurs comme Godard, Pasolini, Glauber Rocha, mais aussi Ingmar Bergman, Luis Buñuel et Federico Fellini qui réalisent alors leurs films les plus libres, dégagés de toute contrainte narrative trop marquée. C'est une conséquence directe de la réception internationale des films français de la Nouvelle Vague à partir de 1960.

Nous avons évoqué les formes documentaires nouvelles qui apparaissent dans le cinéma américain de reportage vers 1959-1960 avec Robert Drew et Richard Leacock. Ce mouvement intervient de manière encore plus spectaculaire au Canada français où les échanges entre les opérateurs de Jean Rouch et de l'Office national du film sont réguliers. Le personnage clé de cette interaction est le cameraman Michel Brault. C'est lui qui seconde le poète Pierre Perrault lorsque ce dernier se lance dans *Pour la suite du monde* en 1963. Mais le nouveau cinéma du Québec ne se limite pas à l'essai documentaire. De nombreux jeunes cinéastes vont découvrir leur pays grâce à l'expression cinématographique la plus novatrice et la plus personnelle. L'auteur le plus marqué par l'influence du Jean-Luc Godard des *Carabiniers* est assurément Jean-Pierre Lefebvre, d'abord critique à la revue *Objectif* et réalisateur du *Révolutionnaire* (1965), premier long métrage qui est un pamphlet politique d'une grande liberté stylistique. Il sera suivi de beaucoup d'autres films. Lefebvre n'est évidemment pas le seul et, à partir de 1965, un nouveau cinéma d'expression francophone va connaître une diffusion internationale : films de Gilles Carle, Gilles Groult, Claude Jutra, Denys Arcand.

3. Nouvelle Vague, avant-garde et cinéma expérimental

Le cinéma français a connu à certains moments de sa carrière des périodes de fortes recherches expérimentales, comme par exemple, à partir de 1917 avec les premiers longs métrages d'Abel Gance (*La Roue*) et de Marcel L'Herbier (*L'Inhumaine*), suivis de ceux de Jean Epstein (*Cœur fidèle*), puis, un peu plus tard, avec les films surréalistes de Buñuel et Dali (*Un chien andalou*, *L'Âge d'or*) et les expériences de Jean Cocteau (*Le Sang d'un poète*). Au cours des années 1950, l'expérience est concrétisée par le cinéma lettriste d'Isidore Isou et de Maurice Lemaître.

Par un effet paradoxal, les films de la Nouvelle Vague font entraîner vers le long métrage narratif toutes les velléités subversives des jeunes créateurs. Le cinéma à proprement parler « expérimental », c'est-à-dire non narratif et parfois non représentatif, va disparaître pour ne reparaître que vers le milieu des années 1960, avec les premiers films de Philippe Garrel (*Les Enfants désaccordés* en 1964, *Anémone* en 1967, *Marie pour mémoire* la même année), de Marcel Hanoun (*Octobre à Madrid*, 1965 ; *L'Été, 1968*) et de Jean-Pierre Lajournade (*Le Joueur de quilles*, 1968 ; *La Fin des Pyrénées*, 1971). Pourtant, Jean-Daniel Pollet, réalisateur d'un premier film Nouvelle Vague non distribué *La* (mythique) *Ligne de mire*, va offrir en 1963 l'un des chefs-d'œuvre du film d'avant-garde avec le moyen métrage *Méditerranée* que commente Philippe Sollers.

Quelques années après 1968, cette tendance expérimentale va pouvoir s'enrichir de nombreuses œuvres, non sans relations conflictuelles avec le cinéma militant plus rarement préoccupé par les questions d'écriture cinématographique.

4. Les conséquences historiques du mouvement, la Nouvelle Vague aujourd'hui

L'un des effets les plus directs de la Nouvelle Vague est d'avoir imposé l'idée que la création cinématographique nécessitait un renouvellement régulier de jeunes cinéastes. Les mécanismes mis en place par le Centre national de la cinématographie dès les années 1970 vont favoriser cette floraison de premières œuvres dont la plupart restent sans lendemain. Une avance sur recettes est réservée à la production des premiers films que l'on peut financer sur présentation d'un scénario. Près de trente premiers films sont ainsi produits tous les ans, ce qui représente en moyenne le quart de la production totale. Il est devenu presque aussi facile de réaliser un premier long métrage que de publier un premier roman, même si les investissements sont très loin d'être comparables. Mais parmi ces centaines de nouveaux cinéastes, bien peu d'authentiques nouveaux auteurs apparaissent.

Ce qui est frappant, c'est l'absence de mouvement collectif. Le cas des rédacteurs des *Cahiers du cinéma* devenus pour un certain nombre d'entre eux réalisateurs et qui ont succédé à la première génération des Truffaut, Godard, Chabrol, Rivette, Rohmer est d'ailleurs assez éloquent : ainsi successivement Luc Moullet, André Téchiné, Pascal Kané, Jean-Louis Comolli, plus récemment Serge Le Peron, Danièle Dubroux, Léos Carax, Olivier Assayas, mais ils ne présentent absolument pas un ensemble aussi cohérent que celui de la génération de 1958. Cependant, Paul Vecchiali a tenté, par l'intermédiaire d'une société de production – les Films Diagonale – de stimuler une équipe de jeunes auteurs liés par des préoccupations voisines : Jean-Claude Guiguet, Marie-Claude Treilhou, Jean-Claude Biette, Jacques Davila, Gérard Frot-Coutaz.

Mais l'expérience est restée marginale, car les résultats d'exploitation et la carrière internationale des films sont toujours restés modestes.

Seul André Téchiné, après des débuts difficiles, a réussi à conquérir dans la production cinématographique une place équivalente à celle qu'occupait, avant sa disparition en 1984, François Truffaut. Il doit cette conquête au soutien sans faille d'une star française, Catherine Deneuve, depuis *Hôtel des Amériques* en 1981 jusqu'à *Ma Saison Préférée* (1993) et *Les Voleurs* (1996).

Mais si les jeunes auteurs ont bien du mal à s'affirmer dans le cinéma français des années 1980 et 1990, dominés par la forte personnalité de Maurice Pialat (son *Van Gogh* est un des rares chefs-d'œuvre du cinéma français des années 1990), c'est que les cinéastes de la Nouvelle Vague de 1958 sont toujours aussi féconds et souvent aussi inventifs qu'à leurs débuts. Truffaut disparaît en 1984, après une œuvre réunissant 21 longs métrages, au même moment que Pierre Kast, Jacques Doniol-Valcroze meurt en 1989 et Jacques Demy en 1990. Par contre Jean-Luc Godard, Éric Rohmer, Claude Chabrol, Jacques Rivette proposent chacun très régulièrement de nouvelles œuvres au public contemporain. L'œuvre de Godard jusqu'à *For ever Mozart* (1996) dépasse les 40 longs métrages de fiction, sans compter ses films courts et ses films en vidéo. Celle de Chabrol va atteindre, avec *Rien ne va plus* (1997) la cinquantaine de longs métrages distribués en salles, auxquels il faut ajouter une vingtaine de téléfilms. Malgré leurs débuts très difficiles, Jacques Rivette et Éric Rohmer proposent l'un quinze longs métrages (dont certains comme *Out One* sont très longs) et l'autre une vingtaine. L'originalité créatrice de Rohmer, né en 1920, est d'ailleurs confondante puisque ses *Comédies et proverbes* et ses *Contes* les plus récents apparaissent comme les plus libres et les plus juvéniles. À 77 ans, il est plus que jamais le cinéaste de l'adolescence et d'une certaine jeunesse d'aujourd'hui.

Cette fécondité n'est qu'une explication partielle. Nous avons vu dans le premier chapitre qu'André Berthomieu ou Jean Boyer présentaient des filmographies tout aussi abondantes. Le hasard de l'histoire a voulu qu'un modeste ciné-club du Quartier latin et qu'une petite revue confidentielle rassemblent, dans la découverte et l'amour de l'art du cinéma, une petite dizaine d'auteurs qu'une autre période historique aurait dirigés vers la création romanesque, l'anthropologie, le journalisme mondain, l'histoire de l'art, la gestion d'une entreprise ou la théorie littéraire.

Après avoir opposé une fois encore l'équipe des *Cahiers du cinéma* à celle de ses amis de *Positif*, Raymond Borde dans sa préface au livre polémique de Francis Courtade, *Les Malédictions du cinéma français*, revient sur les thèses de sa plaquette de 1962 :

> « À ce degré de l'analyse, je pense qu'il faut introduire le hasard ultime, celui des personnes. J'ai bien connu le *Positif* de la fin des années 1950. Nous étions des moralistes exemplaires, nous n'étions pas des cinéastes. Tel ou tel d'entre nous – Bernard Chardère, Louis Seguin, Jacques Demeure à la télévision, Ado Kyrou... – avait pu manier une caméra et réaliser des courts métrages en tous points rigoureux, mais aucun n'était une "bête de cinéma". Il nous manquait cette motivation qui fait que Chabrol tourne aujourd'hui son 32e film [Borde écrit cela en 1977]. Nous fûmes donc – et je renvoie ici à ce document collectif et

> souvent lucide, "Nouvelle Vague", que publia *Premier Plan* – obligés de miser sur des valeurs dérisoires. À la droite haïssable et papelarde des critiques des *Cahiers* [c'est toujours Borde qui écrit] nous ne trouvâmes à opposer que Georges Franju (qui avait déjà dit l'essentiel), Claude-Bernard Aubert, Paul Paviot, Robert Menegoz, Jean-Claude Bonnardot, Louis Grospierre et Pierre Kast... C'était touchant. C'est à mourir de rire. »

En effet.

5. La pérennité des films

Il faut enfin ajouter un dernier critère, celui de la force et de l'originalité de ces quelques dizaines de films réalisés par des cinéastes français au tournant des années 1950-1960. *Les Quatre Cents Coups, Hiroshima mon amour, Les Cousins, À bout de souffle*, mais aussi *Moi, un Noir, Paris nous appartient, Adieu Philippine, Lola, Cléo de 5 à 7* sans parler de *Pierrot le fou*, et même un court métrage aussi marginal que *La Boulangère de Monceau* (et il est possible d'allonger cette liste jusqu'à plus de 30 titres) projetés aujourd'hui, près de quarante ans après leur réalisation, sont des films toujours aussi vivants, car ce sont des films qui ont su saisir miraculeusement le « moment présent » le plus authentique de leur époque. Découverts à quelques années de la fin du siècle par des étudiants nés au début des années 1980, ces films produisent un effet émotionnel tout aussi remarquable que celui qu'ils avaient provoqué chez les jeunes spectateurs de 1959.

Il en est de même pour les spectateurs étrangers qui découvrent toujours et encore la société française, avec ses comportements, ses façons d'être, ses gestuelles, ses manières de parler, ses attitudes morales, etc., à travers les films de François Truffaut, Jean-Luc Godard et Éric Rohmer – comme tous les cinéphiles du monde entier connaissent la ville de New York et la variété des paysages nord-américains à partir de la production hollywoodienne. Parmi ces spectateurs étrangers, il y a les cinéphiles et les étudiants des écoles de cinéma ou des universités. Ceux-ci s'initient à l'histoire du cinéma à partir des œuvres de Truffaut et de Godard, et la jeune génération des cinémas américains, asiatiques ou orientaux a retenu les leçons de *Bande à part* ou de *Tirez sur le pianiste*, comme en témoignent les films de Martin Scorsese ou de Quentin Tarantino, sans parler de l'influence directe de Jean-Pierre Melville sur Paul Schrader et John Woo.

Ce n'est évidemment pas seulement le discours que ces films tiennent qui leur donne cette jeunesse et cette vigueur. C'est bien sûr la manière dont ce discours atteint le spectateur. Les films de la Nouvelle Vague sont intervenus au moment où l'ensemble des productions cinématographiques dans le monde, tout autant que le jazz qui devient alors « free », connaît des bouleversements formels et stylistiques radicaux. La Nouvelle Vague a été un terrain d'expérimentation pour la création cinématographique tout aussi varié et tout aussi riche que le cinéma soviétique des années 1920 : l'œuvre de Godard est là pour en témoigner, mais c'est aussi vrai des expériences que Rivette va mener à la fin de la décennie avec un film comme *L'Amour fou*. La Nouvelle Vague a bien été une révolution esthétique qui a marqué toute l'histoire du cinéma. En ce sens, les seuls héritiers de la Nouvelle Vague de 1959 sont Jean Eustache (des *Mauvaises Fréquentations*, 1963, aux *Photos d'Alix*, 1981) et Philippe Garrel (du *Lit de la vierge*, 1969, des *Baisers de secours*, 1989, de *J'entends plus la guitare*, 1991, au *Cœur fantôme*, 1995), qui, chacun à leur manière, prolongent les démarches expérimentales de leurs prédécesseurs.

On peut aussi regretter que ces œuvres si vivantes aient été récupérées par le circuit de la marchandise et du gadget : les photos de films se retrouvent comme posters et cendriers. C'est le revers inévitable du succès dans la « société du spectacle ». Il suffit de se consoler en allant découvrir ou revoir les films eux-mêmes dans une salle de cinéma, comme au premier jour de leur présentation publique.

« Après tout si, il faut… », comme le dit Michel Poiccard au début d'*À bout de souffle*.

6. Vers le cinquantenaire

La première édition de ce livre est parue en décembre 1997, au moment des quarante ans de la Nouvelle Vague. Nous en sommes maintenant au cinquantenaire. Dans les mois qui ont suivi ce livre, Jean Douchet et Antoine De Baecque, qui ont appartenu à deux générations bien différentes de la rédaction des *Cahiers du cinéma*, ont proposé, chacun de leur côté, leur bilan personnel de la Nouvelle Vague. Le premier sous la forme d'un album très richement illustré et fondé sur une définition très large du mouvement que l'auteur assimile à tous les cinéastes qu'il aime, le second inscrivant plus précisément la Nouvelle Vague en tant que phénomène de renouvellement générationnel, « le portrait d'une jeunesse ».

La décennie qui a suivi a vu un regain d'intérêt manifeste pour le mouvement. Les auteurs ont diversifié et approfondi les approches en s'appuyant sur des disciplines originales. Philippe Mary analyse la Nouvelle Vague à partir des thèses sociologiques de Pierre Bourdieu. Geneviève Sellier s'appuie sur les « *Gender studies* » anglo-saxonnes pour définir la Nouvelle Vague comme une école de jeunes cinéastes masculins qui pratiquent un cinéma au « masculin singulier ».

Deux auteurs reviennent sur les conditions économiques de production : Laurent Creton dans un livre principalement consacré à la politique du Crédit national et Frédéric Gimello-Mesplomb dans une thèse consacrée à la politique de soutien de l'État.

Jean-Pierre Esquenazi, dans un ouvrage magistral consacré aux films réalisés par Jean-Luc Godard dans les années 1960, analyse l'itinéraire du cinéaste en tant qu'artiste dans la société française.

Les historiens des autres pays multiplient leurs approches spécifiques de la Nouvelle Vague, notamment en Grande-Bretagne. Les années qui viennent seront marquées par le processus commémoratif, toujours propice aux festivals, rétrospectives et nouvelles approches.

Bibliographie

I. Sources d'époque (1957-1963)

La collection intégrale des *Cahiers du cinéma* est à conseiller, mais on peut lire en priorité les numéros suivants :
- n° 71, mai 1957, « Situation du cinéma français », « Six personnages en quête d'auteurs », et un entretien avec Jacques Flaud, directeur du CNC en 1957 ;
- n° 138, décembre 1962, « Nouvelle Vague », entretiens avec Claude Chabrol, Jean-Luc Godard et François Truffaut, dictionnaire « Cent soixante-deux cinéastes français » ;
- n° 161-162, janvier 1965, spécial « Crise du cinéma français ».

• Lire également

Communications, n° 1, « Conditions d'apparition de la N.V. », et « L'Industrie culturelle » par Edgar Morin.

Cinéma 58, n° 24, février 1958, « Une enquête sur la jeune génération du cinéma français ».

Cinéma 64, n° 88, juillet-août 1964, « Dix ans de cinéma français ».

Positif, n° 46, juin 1962, « Feux sur le cinéma français ».

Esprit, 1960, numéro spécial « Cinéma français », « Le système de production » de H. C. Hagenthaler et « Comment d'autres fabriquent des brosses à dents », entretien avec René Thévenet.

Outre les hebdomadaires culturels comme *France-Observateur ou L'Express*, les collections de *Arts-spectacles* et des *Lettres françaises* sont de précieuses références.

• Trois essais écrits sur le moment même

Labarthe André S., *Essai sur le jeune cinéma français*, Paris, Le Terrain vague, 1960. Premières « réflexions sur une vague » très stimulantes par un collaborateur des *Cahiers du cinéma*, futur réalisateur de télévision.

Siclier Jacques, *Nouvelle Vague ?*, Paris, Cerf, coll. « 7ᵉ art », 1961, 136 p. Précieuse plaquette éditée début 1961 : les deux premières parties sont très riches, surtout le chapitre économique, la troisième, sur « L'univers de la Nouvelle Vague », plus discutable.

Borde Raymond, Buache Freddy, Curtelin Jean, *Nouvelle Vague*, Lyon, Serdoc, mai 1962. Violent pamphlet en trois volets contre la Nouvelle Vague « tendance *Cahiers du cinéma* », par des auteurs proches de *Positif*.

• Quelques regards postérieurs

Buache Freddy, *Le Cinéma français des années 1960*, Cinq continents/Hatier, 1987. Privilégie le contexte socio-politique.

Clouzot Claire, *Le Cinéma français depuis la Nouvelle Vague*, Nathan, 1972, 206 p. Une synthèse très didactique.

De Baecque Antoine, *La Nouvelle Vague : portrait d'une jeunesse*, Flammarion, 1998, réed. 2009

Douchet Jean, *Nouvelle Vague*, Hazan, 1999.

Douin Jean-Luc (dossier réuni par), *La Nouvelle Vague vingt-cinq ans après*, Cerf, coll. « 7' art », 1983.

Esquenazi Jean-Pierre, *Godard et la société française des années 1960*, Armand Colin, 2004.

Gimello-Mesplomb Frédéric, « Enjeux et stratégie de la politique de soutien au cinéma français. Un exemple : la Nouvelle Vague : économie politiques et symboles », Thèse de doctorat, Toulouse 2, 2000.

Mary Philippe, *La Nouvelle Vague et le cinéma d'auteur*, Seuil, 2006.

Sellier Geneviève, *La Nouvelle Vague, un cinéma au masculin singulier*, CNRS Éditions, 2005.

Turigliano Roberto (sous la dir. de), *Nouvelle Vague*, Festival internazionale, Cinema Giovani, Turin, 1985, 358 p.

2. Histoire du cinéma (sur l'ensemble de la période)

Courtade Francis, *Les Malédictions du cinéma français*, Alain Moreau éd., 1978, 416 p. Très anti-*Cahiers du Cinéma* au nom du témoignage social.

Frodon Jean-Michel, *L'Âge moderne du cinéma français, de la Nouvelle Vague à nos jours*, Flammarion, 1995, 926 p. De longs développements sur la Nouvelle Vague, le cinéma de la jeunesse et le cinéma moderne, très informé.

Jeancolas Jean-Pierre, *Le Cinéma des Français, la Ve République, 1958-1978*, Stock, 1979, 480 p. Solide sur l'histoire institutionnelle.

Jeancolas Jean-Pierre, *Histoire du cinéma français*, Nathan Université, coll. « 128 », 1995, 128 p.

Prédal René, *Cinquante Ans de cinéma français*, Paris, Nathan, coll. « Réf », 1996, 1 006 p. Offre un panorama complet et la liste intégrale de tous les films français produits de 1945 à 1995.

Sadoul Georges, *Le Cinéma français, 1890-1962*, Flammarion, 1962, 292 p. Beaucoup d'informations statistiques en peu de pages.

• Histoire de la critique

Andrew Dudley, *André Bazin*, Cahiers du cinéma-Cinémathèque française, 1983, 240 p. Une biographie précieuse.

Baecque Antoine de, *Cahiers du cinéma, histoire d'une revue*, t. I: «À l'assaut du cinéma» et t. II: «Cinéma, tours détours», Cahiers du cinéma, 1991, 320 p. et 384 p. Tout sur l'histoire de la célèbre revue, mais vue de l'intérieur.

• Histoire économique et producteurs

Bonnell René, *Le Cinéma exploité*, Seuil, 1978. La référence pour l'histoire économique de la période.

Beauregard Chantal de, *Georges de Beauregard*, Nîmes, C. Lacour éd., coll. «Colporteur», 1991, 264 p. Une biographie familiale au ton très personnel par l'une des filles du producteur.

Braunberger Pierre, *Cinémamémoire*, propos recueillis par Jacques Gerber, Centre Georges-Pompidou/Centre national de la cinématographie, Paris, 1987, 264 p. Témoignage personnel et nombreux documents.

Dauman Anatole, *Souvenir écran*, dossier rassemblé par Jacques Gerber, Centre Georges-Pompidou, 1989, 320 p.

3. Scénaristes

Gruault Jean, *Ce que dit l'autre*, Julliard, 1992. Témoignage autobiographique très riche d'un collaborateur de Truffaut, Rossellini, Godard, Rivette, Resnais.

4. Cinéastes

a. Écrits, entretiens, anthologies critiques, mémoires, correspondances

Astruc Alexandre, *Du stylo à la caméra*, Paris, Archipel, 1992. Recueil des principaux articles de l'auteur.

Astruc Alexandre, avec la collaboration de Philippe d'Hugues, *Le Montreur d'ombres, mémoires*, Paris, Bartillat, 1996, 280 p. Les anecdotes sont à vérifier, mais Astruc conserve un beau style.

Chabrol Claude, *Et pourtant je tourne*, Paris, Laffont, coll. «Un homme et son métier », 1976. Mémoires rédigées avec la collaboration de René Marchand. Autobiographie plutôt désinvolte et bavarde.

GODARD Jean-Luc, *Jean-Luc Godard par Jean-Luc Godard*, Cahiers du cinéma, 1985. Anthologie de tous les articles critiques écrits par le cinéaste et quelques-uns de ses grands entretiens. Plusieurs éditions.

GODARD Jean-Luc, *Introduction à une véritable histoire du cinéma*, Paris, Albatros, 1980, 334 p.

MELVILLE Jean-Pierre, *Le Cinéma selon Melville*, entretiens par Rui Nogueira, Seghers, coll. « Cinéma 2000 », 1974, 280 p. Un livre entretien.

ROHMER Éric, *Le Goût de la beauté*, Cahiers du cinéma, coll. « Écrits », 1984, 216 p. Anthologie des articles écrits par le cinéaste.

TRUFFAUT François, *Les Films de ma vie*, Paris, Flammarion, 1975, 364 p. Chapitre V « Mes copains de la Nouvelle Vague ».

TRUFFAUT François, *Le Cinéma selon François Truffaut*, textes réunis par Anne Gillain, Flammarion, 1988, 456 p. Anthologie des principaux entretiens réalisés avec le cinéaste, classés biographiquement.

TRUFFAUT François, *Correspondance*, Hatier-Cinq continents, 1988.

VARDA Agnès, *Varda par Agnès*, Paris, Cahiers du cinéma, 1994, 288 p.

b. Études critiques d'auteurs

BAECQUE Antoine DE et TOUBIANA Serge, *François Truffaut*, Paris, Gallimard, coll. « Biographies NRF », 1996, 666 p. Une autobiographie quasi posthume, car elle est fondée sur la documentation réunie par le cinéaste lui-même.

BELLOUR Raymond, *Alexandre Astruc*, Seghers, coll. « cinéma d'aujourd'hui », 1963.

BERGALA Alain, *Godard au travail*, Cahiers du cinéma, 2006.

BLANCHET Christian, *Claude Chabrol*, Rivages/Cinéma, 1989.

BOIRON Pierre, *Pierre Kast*, Lherminier, 1985.

BONITZER Pascal, *Éric Rohmer*, Cahiers du cinéma, coll. « Auteurs », 1991, 142 p.

BRAUCOURT Guy, *Claude Chabrol*, Seghers, coll. « cinéma d'aujourd'hui », 1971.

CAHOREAU Gilles, *François Truffaut, 1932-1984*, Julliard, 1989, 362 p.

CERISUELO Marc, *Jean-Luc Godard*, Lherminier/éd. des Quatre-Vents, 1989, 272 p. Étude monographique nouvelle et très érudite, qui s'appuie notamment sur l'étude des critiques de films écrites par Godard avant *À bout de souffle*.

CERISUELO Marc (sous la dir. de), « Jean-Luc Godard, au-delà de l'image », *Études cinématographiques*, nᵒˢ 194/202, 1993.

COLLET Jean, *Jean-Luc Godard*, Seghers, coll. « cinéma d'aujourd'hui »,

1963. Nombreuses rééditions, nouvelle version refondue avec Jean-Paul Fargier, 1974. Première et intelligente étude monographique du réalisateur, écrite dès 1963, après *Le Mépris*.

Douin Jean-Luc, *Jean-Luc Godard*, Rivages/cinéma, 1989.

Dubois Philippe, « Jean-Luc Godard, les films », *Revue Belge du cinéma*, n° 16, été 1986 ; « Jean-Luc Godard, le cinéma », *Revue Belge du cinéma* nos 22/23, réédition très augmentée du précédent.

Esteve Michel (sous la dir. de). « Jean-Luc Godard, au-delà du récit », *Études Cinématographiques*, nos 57/61, 1967.

Esteve Michel (présenté par), « Éric Rohmer 1 et 2 », *Études cinématographiques*, nos 146/148 et 149/152, 1985 et 1986.

Gillain Anne, *François Truffaut : Le Secret perdu*, Hatier, 1991. Magistrale analyse psycho-biographique de l'œuvre du cinéaste.

Le Berre Carole, *François Truffaut*, Cahiers du cinéma, coll. « Auteurs », 1993, 208 p. Précieux pour l'étude de la genèse des films.

Mac Cabe Colin, *Godard, a portrait of the artist at 70*, Londres, Bloomsbury, 2003.

Magny Joël, *Éric Rohmer*, Rivages/Cinéma, 1986.

Magny Joël, *Claude Chabrol*, Cahiers du cinéma, coll. « Auteurs », 1987, 240 p.

Marie Michel, *Comprendre Godard, travelling avant sur* À Bout de souffle *et* Le Mépris, Armand Colin, 2006.

Prédal René (sous la dir. de), « Le cinéma selon Godard », *CinémAction* n° 52, juillet 1989, Corlet/Télérama.

Prédal René (sous la dir. de), « Jean Rouch, un griot gaulois », *CinémAction*, n° 17, février 1981 ; « Jean Rouch, le ciné-plaisir », *CinémAction* n° 81, 4e trimestre 1996, réédition augmentée du précédent.

Scheinfeigel Maxime, *Jean Rouch*, CNRS Éditions, 2007.

Toffetti Sergio (sous la dir. de), *Jean-Luc Godard*, Centre culturel de Turin, Musée national du cinéma de Turin, 1990.

Toffetti Sergio (sous la dir. de), *Jean Rouch, le Renard pâle*, Centre culturel français de Turin, Musée national du cinéma de Turin, 1991.

Toffetti Sergio (sous la dir. de), *Jacques Rivette, la règle du jeu*, Centre culturel Français de Turin, Musée national du cinéma de Turin, 1992.

Index des films cités

317ᵉ Section (La) 60
À bout de souffle 7, 9, 14, 16, 17, 21, 42, 43, 59, 62, 63, 66, 67, 75, 80, 81, 82, 84, 87, 93, 97, 98, 104, 108, 109, 115, 116, 121
À double tour 16, 97, 101
Éducation sentimentale (L') 96
Âge d'or (L') 112
Œil du malin (L') 17, 60, 62, 67
À pied, à cheval et en spoutnik 21, 22
Été (L') 112
Évadés (Les) 22
Accatone 111
Adieu Philippine 27, 60, 66, 71, 85, 91, 100, 115
Aîné des Ferchaux (L') 66
Ali Baba et les quarante voleurs 39, 48
Alphaville 102
Amants (Les) 21, 62, 87, 88, 95
Amérique insolite (L') 57
Amour à mort (L') 70
Amour en fuite (L') 91
Amour fou (L') 60, 71, 83, 116
Amours d'une blonde (Les) 109
Anémone 112
Ange bleu (L') 93, 102
Année dernière à Marienbad (L') 58, 60
Antoine et Colette 91, 99
Antonio das Mortes 110
Argent de poche (L') 67, 91
Arsène Lupin 52
Ascenseur pour l'échafaud 18, 22, 51, 53, 74, 87, 95
As de pique (L') 109
Au-delà des grilles 23
Au hasard Balthazar 58

Avant le déluge 22
Aventures des Pieds nickelés (Les) 57
Aventures d'Arsène Lupin (Les) 48
Avventura (L') 110, 111
Baby Doll 94
Baie des Anges (La) 100
Baisers de secours 116
Baisers volés 8, 67, 91, 99
Ballon rouge (Le) 22
Bande à part 68, 73, 102, 115
Baron de l'écluse (Le) 17, 61
Barravento 109
Barrière (La) 109
Bataille du rail (La) 105
Beau Serge (Le) 11, 15, 20, 29, 43, 51, 53, 54, 55, 67, 75, 78, 96, 101
Bel Âge (Le) 16, 43, 68, 86, 87, 88, 89, 96
Belle de jour 93
Belle Noiseuse (La) 70
Biches (Les) 104
Blé en herbe (Le) 22
Blonde des tropiques (La) 63
Bob le flambeur 41, 66, 79, 92
Bonnes Femmes (Les) 16, 17, 67, 75, 91, 101, 104
Boucher 104
Boulangère de Monceau (La) 73, 76, 115
Boulevard 61
Ça aussi, c'est Paris 63
Cabezas Cortadas 111
Cabinet du docteur Caligari (Le) 26
Carabiniers (Les) 15, 17, 60, 62, 68, 70, 76, 80, 81, 112
Cartouche 98
Céline et Julie vont en bateau 71

Cendres et Diamant 106
Ce soir ou jamais 101
Cette Sacrée Gamine 10
Chagall 57
Chambre verte (La) 67, 70
Charlotte et son Jules 57, 84
Chasse au lion à l'arc (La) 57, 65
Chasse à l'homme 63
Chemins de la haute ville (Les) 108
Chienne (La) 84
Chiens perdus sans collier 99
Chinoise (La) 8, 91, 99
Chronique d'un été 58, 72, 85
Ciocciara (La) 98
Citizen Kane 26
Collectionneuse (La) 60, 73, 77, 88
Conformiste (Le) 111
Contes cruels de la jeunesse 108
Copains du dimanche (Les) 63, 97
Corps sauvages (Les) 108
Coup du berger (Le) 20, 54, 57
Cousins (Les) 15, 54, 62, 67, 70, 75, 87, 90, 96, 104, 115
Couteau dans l'eau (Le) 109
Cri (Le) 110
Crise 106, 118
Cuba Si Yankee No 108
Cœur fantôme 116
Déjeuner sur l'herbe (Le) 101
De la veine à revendre 106
Démon des armes (Le) 42, 93
Dénonciation (La) 58
Dents longues (Les) 23
Départ (Le) 109
Dernières Vacances (Les) 24, 53
Dernier Métro (Le) 67
Descendez, on vous demande 23
Deux Anglaises et le continent (Les) 67, 73
Deux Hommes dans Manhattan 75
Deux ou Trois Choses que je sais d'elle 58
Diable au corps (Le) 34, 94
Diaboliques (Les) 21, 22, 48
Dieu noir et le Diable blond (Le) 109
Dimanche à Pékin 58
Dindon (Le) 23, 24

Dix Commandements (Les) 21
Domicile conjugal 67, 91
Dos au mur (Le) 18, 68
Doulos (Le) 60, 66, 100
Du côté d'Orouet 71, 85
Eau à la bouche (L') 43, 57, 68, 86, 87, 88, 89, 101
Eau vive (L') 54
Element of Crime 27
Enfant sauvage (L') 52, 67, 70, 91
Enfants désaccordés (Les) 112
Enfants du paradis (Les) 21
Enfants terribles (Les) 79
Engrenage (L') 63
En quatrième vitesse 19
Enterrement du soleil (L') 108
Eroika 106
Espionne sera à Nouméa (L') 63
Et Dieu créa la femme 10, 13, 19, 21, 28, 29, 53, 87, 94, 101
Europe 96, 106, 107, 110
Fahrenheit 17, 67
Femme d'à côté (La) 67
Femme du Gange (La) 74
Femme du jour (La) 19
Femme et le Pantin (La) 102
Femme infidèle (La) 104
Femmes s'en balancent (Les) 21
Fiancée du pirate (La) 101
Fièvre monte à El Pao (La) 94
Fils de l'eau (Les) 57
Fin des Pyrénées (La) 112
For ever Mozart 114
French Cancan 96
Fureur de vivre (La) 94
Futures Vedettes 10
Gare du Nord 65
Gauguin 57
Génération 106
Genou de Claire (Le) 96
Germinal 26
Gervaise 21, 22, 36, 48, 51, 53, 61, 70
Godelureaux (Les) 17, 62, 96, 101
Grand Couteau (Le) 19
Grande Muraille (La) 18
Grandes Familles (Les) 21

Grandes Manœuvres (Les) 21, 22, 48
Grande Vie (La) 23, 61
Guépard (Le) 111
Guernica 57
Guerre et Paix 21
Guinguette 55
Gun Crazy 42, 93
Hatari 96
Haut, bas, fragile 71
Haut les mains 109
Hiroshima mon amour 15, 21, 29, 40, 58, 60, 82, 115
Histoire d'eau 57
Homme qui ment (L') 100
Hommes préfèrent les blondes (Les) 40
Horloger de Saint-Paul (L') 44
Huit et demi 111
Husbands 108
Hôtel des Amériques 113
Ils étaient cinq 23
Immortelle (L') 100
India Song 74
Inhumaine (L') 112
Innocents charmeurs 109
Jaguar 57
Jeux de l'amour (Les) 68
Jeux d'été 106
Jeux interdits 23
Jeux sont faits (Les) 105
Joueur de quilles (Le) 112
Journal d'un curé de campagne 33
Jour se lève (Le) 93
Jules et Jim 17, 67, 70, 73, 80, 95, 103
Julietta 57
Jument verte (La) 61
Kanal 19, 106
Kapo 40
Knock 23
Landru 17, 60, 67, 104
Léon Morin prêtre 60, 100
Lettres de Sibérie 29, 58
Liaisons Dangereuses (Les) 21
Ligne de mire (La) 63, 112
Lion à sept têtes (Le) 111
Liste de Schindler (La) 41
Lit de la vierge 116

Lola 17, 60, 62, 68, 80, 91, 93, 100, 115
Loups chassent la nuit (Les) 23
Made in USA 60, 68, 102, 103
Magnifique (Le) 99
Malheurs de Sophie (Les) 96
Maman et la Putain (La) 83, 91, 101
Mamma Roma 111
Maîtres fous (Les) 73
Marie-Chantal contre le docteur Kah 60
Mariée était en noir (La) 80
Marie pour mémoire 112
Masculin-Féminin 58
Mauvaises Fréquentations 116
Mauvaises Rencontres (Les) 18, 23, 36, 53, 86, 95
Méditerranée 112
Mépris (Le) 15, 52, 60, 73, 94, 103, 122
Merci Natercia 62
Michel Strogoff 53
Mistons (Les) 20, 55, 72, 78, 96, 101
Mitsou 50
Moderato Cantabile 98
Moi, un Noir 22, 29, 57, 65, 73, 84, 93, 115
Monde du silence (Le) 18, 22, 48, 53, 62
Mon Oncle 21, 22, 23, 70
Mon Oncle d'Amérique 70
Monsieur Ripois 22, 39
Monsieur Vincent 23
Morambong 63
Mort d'un cycliste 19, 59, 107
Mort en fraude 51
Mort n'est pas à vendre (La) 63
Mouchette 58
Muriel ou le temps d'un retour 58
Musique en tête 23
Mystère Picasso (Le) 22, 61
Napoléon 48
Notre-Dame de Paris 21, 48, 51, 61
Nouvelle Vague 15
Nuit américaine (La) 67
Nuit du carrefour (La) 103
Nuit et Brouillard 22, 40, 58, 73

Nuit et brouillard du Japon 108
Nuits de Cabiria (Les) 91
Nuits de Paris 23
Numéro deux 60
Objectif 500 millions 60
Octobre à Madrid 112
One plus One 68
On purge bébé 84
Opération béton 78
Ophélia 17, 60, 62, 67, 104
Or de Samory (L') 63
Orfeu Negro 15, 21, 22, 23
Orgueilleux (Les) 105
Ossessione 110
Out One 70, 71, 83, 114
Out One spectre 70, 71, 83
Pardonnez nos offenses 12
Parents terribles (Les) 46
Paris nous appartient 16, 43, 52, 68, 70, 71, 76, 83, 96, 115
Paris qui dort 76
Paris vu par... 65, 77
Partner 111
Passe du Diable (La) 59
Peau douce (La) 67, 75, 80, 103
Pêcheurs d'Islande 59
Père Noël a les yeux bleus (Le) 73, 99
Petits chats (Les) 63
Petit Soldat (Le) 16, 59, 63, 68, 73, 75, 82, 84, 93, 100, 101
Peur sur la ville 99
Photos d'Alix 116
Pickpocket 61, 100
Pierrot le fou 66, 68, 99, 102, 115
Place de l'Étoile 77
Play-boys 63
Plein Soleil 79
Poings dans les poches (Les) 111
Pointe courte (La) 28, 29, 46, 47, 74, 78
Pont de la rivière Kwaï (Le) 21
Pont du Nord 71
Porcherie 111
Porte des Lilas 22
Portes de la nuit (Les) 32
Pour la suite du monde 111
Premier Cri (Le) 109

Prénom Carmen 80
Prima della Revoluzione 111
Primary 108
Prix d'un homme (Le) 108
Procès de Jeanne d'Arc (Le) 61
Proie pour l'ombre (La) 95
Punition (La) 57, 65, 71, 72, 100
Pyramide humaine (La) 57, 65, 71, 100
Quai des brumes 93
Quand la femme s'en m'le 61
Quand tu liras cette lettre 46
Quarante et Unième (Le) 19
Quartier de l'amour et de l'espoir (Le) 108
Quatorze Juillet 73, 103
Quatre Cents Coups (Les) 9, 15, 17, 21, 22, 42, 43, 56, 62, 67, 70, 75, 79, 91, 99, 103, 109, 115
Quelque Chose d'autre 109
Ramuntcho 59
Rayon vert (Le) 71
Rebecca 40
Règle du jeu (La) 89
Religieuse (La) 70, 71
Rendez-vous de minuit (Le) 58
Repos du guerrier (Le) 61
Révolutionnaire (Le) 112
Rideau cramoisi (Le) 28, 58, 72, 95
Rien ne va plus 114
Rien que les heures 57
Rio 40° 110
Rio Zone Nord 110
Rocco et ses frères 110
Rogopag 111
Roi des resquilleurs 97
Rome ville ouverte 74, 110
Roue (La) 112
Rouge et le Noir (Le) 11, 48
Rue des Prairies 17
Saint-Tropez blues 87
Sait-on jamais 19
Salauds vont en enfer (Les) 12
Salvatore Giuliano 111
Sang d'un poète (Le) 112
Scarface 40
Shadows 108

Signe du lion (Le) 16, 43, 68, 76, 87
Signe particulier néant 109
Sikkim, terre secrète 50
Silence de la mer (Le) 14, 45, 46, 57, 66, 72, 79
Si Paris nous était conté 48
Sirène du Mississipi (La) 52
Si Versailles m'était conté 21
Snobs (Les) 62
Soif du mal (La) 27
Soleil se lève aussi (Le) 11
Sourires d'une nuit d'été 89
Sous les toits de Paris 73, 103
Stavisky 99
Stromboli 110
Surmenés (Les) 57
Sur un air de charleston 57
Table aux crevés (La) 23
Terre en transes 110
Tête contre les murs (La) 29
Tigres 104
Tirez sur le pianiste 16, 17, 42, 58, 66, 67, 73, 80, 92, 100, 103, 115
Touch of Evil 27
Toulouse-Lautrec 57
Tour de Nesle (La) 24
Tour du monde en 80 jours (Le) 21
Tous les garçons s'appellent Patrick 57, 71, 87, 92, 96, 104
Tout pour le tout (Le) 63
Train de 8h47 (Le) 63
Traversée de Paris (La) 21, 39, 48, 61
Tricheurs (Les) 21, 22, 61, 90, 97
Triporteur (Le) 21
Trois Femmes 23
Trois Pin-up comme Áa 63
Trou (Le) 100
Tu ne tueras point 61
Un amour de poche 51, 68
Un chien andalou 112
Un condamné à mort s'est échappé 22, 50, 53

Un couple 104
Un drôle de dimanche 97
Une belle fille comme moi 101
Une femme est une femme 16, 17, 60, 68, 73, 75, 84, 93, 96, 99, 102, 103
Une fille a parlé 19, 106
Une histoire d'eau 96
Une sacrée salade 53
Un été avec Monika 107
Une vie 30, 36, 37, 53, 72, 95
Une visite 55, 78
Un homme à vendre 63
Un jour comme les autres 62
Un singe en hiver 98
Vacances portugaises 62
Vache et le prisonnier (La) 21
Valseuses 95
Vampires (Les) 76
Van Gogh 57, 113
Vérité (La) 17, 61
Viaccia (La) 98
Vidas Secas 110
Vie est un roman (La) 70
Vie privée 95
Vingt-Quatre Heures de la vie d'un clown 46
Viva Maria 95
Vivement dimanche 67
Vivent les dockers 18
Vivre sa vie 17, 58, 66, 73, 77, 82, 85, 93, 102
Voici le temps des assassins 96
Voleur (Le) 98
Voleurs (Les) 113
Vous n'avez rien à déclarer 57
Voyage en Amérique (Le) 23
Voyage en Italie 74, 110
Walkower 109
Week-end 14, 80
Yeux sans visage (Les) 104
Zazie dans le métro 7

conception
réalisation
mise en page **PCA**

44405 Rezé cedex

11009535 - (I) - (1,5) - PCA - BTT

Imprimerie Nouvelle
45800 Saint-Jean de Braye
N° d'Imprimeur : 429246S
Dépôt légal : Août 2009

Imprimé en France